Barbara Kuligowska-Dudek

Dieta
bez mleka i glutenu

Wydanie drugie poprawione

Projekt okładki: Aleksandra Mikołajko

Skład: Aleksandra Mikołajko, Wojciech Ławski

Korekta: Klaudia Dróżdż, Iwona Huchla

Książka wydana
w Systemie Wydawniczym Fortunet™
www.fortunet.eu

ISBN: 978-83-7856-553-6

Wydawnictwo Poligraf
ul. Młyńska 38
55–093 Brzezia Łąka
tel./fax (71) 344-56-35
www.WydawnictwoPoligraf.pl

Treść tej książki nie może zastępować porady lekarskiej ani opieki medycznej. Terapia dietetyczna jest tylko jednym z elementów leczenia. W celu uzyskania diagnozy i opieki medycznej należy skonsultować się z lekarzem, zwłaszcza gdy przyjmujemy lekarstwa lub gdy pojawiają się objawy wymagające rozpoznania bądź leczenia.

WSTĘP

Trądzik, trudna do leczenia nadwaga lub niedowaga, bóle głowy, ciągłe katary i zapalenie zatok, reumatyzm, problemy skórne, zespół jelita drażliwego, biegunki, wzdęcia, choroba Leśniowskiego-Crohna. Jeżeli niepokoi cię którykolwiek z tych objawów, warto rozważyć udział spożywanej żywności w ich powstawaniu. Po wyeliminowaniu z jadłospisu niektórych produktów spożywczych dolegliwości mogą zacząć nagle ustępować jak za dotknięciem czarodziejskiej różdżki. Czyżby źródło niedomagań mogło leżeć w żywności? Czy śniadanie złożone z płatków zbożowych zalanych mlekiem może przyczyniać się do reumatyzmu? Albo pszenna bułeczka z rodzynkami do apatii i bólów głowy? Okazuje się, że tak. To właśnie żywność jest największym wyzwaniem antygenowym dla naszego układu odpornościowego i jednocześnie może wywoływać różne reakcje o podłożu alergicznym lub innym, które pozornie wydają się nie mieć z nią nic wspólnego. W rzeczywistości zaś lista dolegliwości, które mogą być następstwem alergii pokarmowych, pseudoalergii lub innych reakcji na spożywany pokarm, jest naprawdę imponująca. Mogą to być choroby:

- układu oddechowego;
- układu pokarmowego;
- oczu, uszu;
- skóry;
- reumatyczne;
- układu nerwowego oraz innych.

Niektóre produkty spożywcze po dostaniu się do przewodu pokarmowego mogą zostać nieprawidłowo rozpoznane przez układ odpornościowy jako wróg, mogą wiązać się w kompleksy antygen–przeciwciało, jak również na skutek różnych procesów immunologicznych wywoływać stan zapalny w różnych częściach ciała.

Alergie to choroba XXI wieku i częstość ich występowania stale rośnie. Większość naszych babć nie wiedziała, co to alergie. Dlaczego dzisiaj, w dobie postępu medycyny, alergie stały się problemem ogólnospołecznym?

Już w pierwszej fazie wytwarzania pokarmu, którą jest produkcja rolna, człowiek bardzo mocno ingeruje w naturalne procesy rozwoju i wzrostu roślin. Dzikie, dające słabe plony odmiany nie są obiektem zainteresowania rolnictwa. Zostały w dużej mierze wyparte przez wysokowydajne, charakteryzujące się szybkim okresem wzrostu i rozwoju gatunki, które przynoszą plony o określonych parametrach. Wiele gatunków roślin to nie są już od strony genetycznej te same rośliny, które uprawiali nasi pradziadowie.

Abstrahując od genetyki współczesnych roślin uprawnych, które próbowano z lepszym lub gorszym skutkiem krzyżować w celu uzyskania odmian o jak najkorzystniejszych cechach hodowlanych – dalsza hodowla i przetwórstwo również bardzo ingerują w skład i jakość żywności. Żeby przyspieszyć wzrost roślin, stosuje się nawozy azotowe, fosforowe i inne. Aby chronić rośliny przed chwastami, używa się herbicydów, przed insektami – zoocydów, a przed grzybami – fungicydów. Zatruty już produkt trafia do zakładu przetwórstwa spożywczego, gdzie w procesie oczyszczania i obróbki (rafinacji olejów, oczyszczania mąki) jest często pozbawiany wielu cennych witamin i mikroelementów. Dodatkowo również wzbogacany mnóstwem polepszaczy konsystencji, wzmacniaczy smaku, emulgatorów, zagęszczaczy, spulchniaczy i barwników. Ze względu na długi transport w celu przedłużenia trwałości dodaje się środki konserwujące lub stosuje napromieniowanie. Jeżeli tego typu produkty spożywamy okazjonalnie, organizm będzie w miarę dobrze sobie radził z usuwaniem zawartych w nich substancji toksycznych. Jeżeli natomiast często królują one na naszym stole, ilość różnych środków chemicznych dostarczanych wraz z pożywieniem przekracza zdolności oczyszczania i regeneracji organizmu. Zaczynają się one kumulować, zakłócając pracę różnych narządów, w tym układu odpornościowego, który przestaje sobie radzić z ogromną ilością napływających do niego informacji.

Układ immunologiczny ma za zadanie odpieranie ataków różnego rodzaju mikroorganizmów oraz toksyn znajdujących się w spożywanym pokarmie i napojach, a także w otaczającym środowisku i wdychanym powietrzu. To właśnie z jego funkcjonowaniem są ściśle związane choroby o podłożu alergicznym. W tym wypadku jako wróg rozpoznawane są produkty obiektywnie zupełnie nieszkodliwe, takie jak sierść psa czy kota, pyłki roślin lub niektóre produkty spożywcze.

Zazwyczaj stosowane jest wówczas łagodzące skutki leczenie objawowe, które nie przynosi, niestety, efektów długofalowych.

Mleko, pszenica – jedne z częstszych alergenów

Wiele problemów alergicznych powodują w szczególności pszenica i mleko. Pszenica spożywana obecnie nie jest już tą pszenicą, która gościła na stołach naszych babć. Pierwotne odmiany pszenicy: płaskurka i samopsza różnią się znacznie od jej współczesnej wersji. Różnorodne zabiegi agrotechniczne pozwoliły na wyhodowanie odmian wysokowydajnych, o parametrach odpowiednich dla przemysłu spożywczego, natomiast niekoniecznie korzystnych dla zdrowia.

Mleko krowie natomiast natura przeznaczyła dla cieląt. Różni się ono składem od mleka ludzkiego, gdyż zawiera wiele białek, które ustrój człowieka może uznać za potencjalnego wroga, takich jak kazeina czy laktoalbuminy. Poza tym nie wszyscy dobrze trawią zawarty w mleku cukier – laktozę. Stąd tyle nietolerancji na mleko i tyle problemów zdrowotnych, które może ono wywoływać.

Oprócz tych dwóch pokarmów w żywności może być wiele innych składników powodujących reakcję układu odpornościowego, m.in. kukurydza, soja, drożdże, owoce cytrusowe, orzechy ziemne, dodatki do żywności. Założeniem tej książki jest jednak pomoc osobom uczulonym na pszenicę (gluten) i mleko oraz jaja, gdyż to właśnie te produkty najczęściej królują na naszych stołach i nie bardzo wiemy, czym je zastąpić.

Rozdział 1

UKŁAD ODPORNOŚCIOWY CZŁOWIEKA

Medycyna coraz częściej patrzy na zdrowie człowieka przez pryzmat sprawności układu odpornościowego, który ma za zadanie chronić przed napływem różnego rodzaju substancji toksycznych, gdyż podejście naprawcze, skupiające się na zwalczaniu objawów, nie przynosi oczekiwanych rezultatów, zwłaszcza w wypadku chorób przewlekłych. Znacznie skuteczniejsze jest skoncentrowanie się na wzmocnieniu układu odpornościowego, gdyż za trwałym i przynoszącym stabilne efekty leczeniem stoją naturalne mechanizmy samonaprawcze organizmu.

Układ odpornościowy człowieka to złożony system, który ma za zadanie rozpoznanie i obronę przed szkodliwymi substancjami i organizmami ze środowiska zewnętrznego. Musi być w stanie odróżniać komórki własne od komórek obcych, komórki szkodliwe od nieszkodliwych. Każda substancja, która zostaje uznana przez układ immunologiczny za potencjalnie szkodliwą lub zbyteczną, określana jest mianem antygenu. Istnieje wiele różnych antygenów. Spora część z nich to po prostu bakterie i wirusy, które w jakiś sposób zagrażają sprawnemu funkcjonowaniu organizmu. Jest to oczywiście zrozumiałe, bo gdyby układ odpornościowy nas przed nimi nie bronił, moglibyśmy umrzeć na zwyczajną grypę. Inne rodzaje antygenów to różnorodne cząsteczki chemiczne lub wyodrębnione struktury komórkowe. Antygenami mogą być także składniki żywności, takie jak niektóre białka, wielocukry, dodatki do żywności czy inne komponenty.

Prócz funkcji obronnej przeciwko różnego rodzaju antygenom zadaniem układu odpornościowego jest rozpoznawanie i eliminowanie niewydolnych lub zmienionych komórek organizmu. Proces ten jest szczególnie istotny na przykład w chorobie nowotworowej. Dzięki szybkiemu usuwaniu przez układ odpornościowy zmienionych nowotworowo komórek nie dochodzi do ich dalszego rozwoju.

Układ immunologiczny to system niesłychanie złożony. Składa się z narządów (grasicy, szpiku kostnego, migdałków, śledziony i węzłów chłonnych), naczyń limfatycznych oraz komórek, które biorą udział w reakcjach odpornościowych (limfocytów B i T, makrofagów, granulocytów i komórek tucznych).

Szczególną funkcję pełnią w nim limfocyty, określane często jako „żołnierze układu odpornościowego". Limfocyty znajdują się głównie w narządach limfatycznych: węzłach chłonnych i śledzionie, a także w mniejszych zgrupowaniach tkanki limfatycznej, na przykład w przewodzie pokarmowym. Spora część limfocytów krąży po całym organizmie w naczyniach krwionośnych i limfatycznych. Limfocyty produkowane są w szpiku kostnym. Część z nich dojrzewa w szpiku – są to limfocyty B, których podstawowym zadaniem jest produkcja przeciwciał. Część niedojrzałych, nieukształtowanych limfocytów opuszcza szpik i wędruje do grasicy. W grasicy limfocyty dojrzewają i przekształcają się w tzw. limfocyty T (łac. *thymus* – grasica). Limfocyty T wytwarzają różnego rodzaju aktywne substancje, w tym cytokiny, które wpływają na różne procesy immunologiczne, między innymi sterują podziałami limfocytów B. Modulują też właściwości żerne makrofagów i granulocytów obojętnochłonnych.

Odpowiedź immunologiczna

Jeżeli do organizmu wtargnie niepożądany najeźdźca, który może stanowić zagrożenie, jest on rozpoznawany przez system odpornościowy jako wróg i staje się antygenem. Każdy z antygenów ma swoistą, charakterystyczną dla siebie budowę. Aby zwalczyć konkretny antygen, organizm musi dostosować do niego rodzaj ataku. Można tu użyć porównania do klucza i zamka. Żeby otworzyć te, a nie inne drzwi, trzeba mieć dopasowany do nich klucz. Podobnie, aby móc zwalczyć określony antygen, organizm musi wyprodukować pasujące do niego przeciwciała.

Antygen najpierw wiąże się z receptorem błonowym limfocytu B, a następnie jest wchłaniany do jego wnętrza, co staje się impulsem do podziału. Limfocyt B dzieli się, wytwarzając wiele potomnych komórek, z których część jest zdolna do wytwarzania przeciwciał, a część zapamiętuje strukturę antygenu. W reakcji tej uczestniczą również limfocyty T, sterując podziałami limfocytów B.

Przy ponownym wtargnięciu do organizmu tego samego antygenu limfocyty produkują konkretne, specyficzne dla tego antygenu przeciwciała. Limfocyty uśmiercają antygeny przez bezpośredni kontakt z nimi i uwolnienie przeciwciał. Natomiast fagocyty – również bardzo istotny typ komórek układu odpornościowego – wykształciły inny mechanizm: po prostu połykają zarazki i trawią je. Do fagocytów zaliczamy głównie monocyty, makrofagi i granulocyty. Zadaniem makrofagów jest nie tylko ochrona przed zarazkami, lecz także usuwanie starych komórek. Część białkową strawionych przez siebie antygenów prezentują limfocytom, aby mogły one wytworzyć odpowiednie przeciwciała, opierając się na tym, co przedstawiły im makrofagi.

Rozdział 2

AUTOAGRESJA – KIEDY ORGANIZM POPEŁNIA SAMOBÓJSTWO NA RATY

Układ odpornościowy człowieka to wyjątkowo skomplikowany i jednocześnie wspaniały system. Jednak system ten na skutek różnych czynników może również zawodzić. Jedną z funkcji układu odpornościowego jest usuwanie starych lub zmienionych komórek. Proces ten zachodzi właściwie nieustannie. Dzięki niemu organizm może pozbywać się komórek niewydolnych, zwyrodniałych czy nowotworowych. Jednak mechanizm ten może wymknąć się spod kontroli. Jeżeli komórki, które mają być zniszczone i usunięte przez układ immunologiczny, zostaną niewłaściwie przez niego rozpoznane, może on atakować własne, całkowicie zdrowe tkanki, tak jakby były intruzem. Innymi słowy, układ odpornościowy może stracić kontrolę nad limfocytami, które zaczynają niszczyć komórki własnego organizmu. Sytuacja jest paradoksalna i nasuwa się tu skojarzenie z żołnierzami zaczynającymi zabijać ludność, której mieli pierwotnie bronić. W efekcie dochodzi do chorób z autoagresji, czyli takich, w których organizm atakuje sam siebie.

Choroby z autoagresji to wyjątkowo niewdzięczna grupa schorzeń, bardzo trudna do leczenia. W jej przebiegu komórki układu immunologicznego rozpoczynają autodestrukcyjny proces w różnych narządach ciała. Mogą to być stawy, tkanka nerwowa, błony śluzowe, skóra i inne narządy.

Pozornie choroby autoimmunologiczne nie mają ze sobą nic wspólnego, bo jakie logiczne połączenie mogłoby istnieć między cukrzycą typu 1, chorobą Hashimoto i reumatoidalnym zapaleniem stawów? Jednak wszystkie one mają jedno źródło, jakim jest nieprawidłowo działający układ odpornościowy.

Do najczęstszych chorób autoimmunologicznych należą:

- stwardnienie rozsiane,
- reumatoidalne zapalenie stawów,
- toczeń,
- zapalenie tarczycy Hashimoto,
- cukrzyca typu 1,
- choroba Gravesa-Basedowa,
- choroba Leśniowskiego-Crohna,
- autoimmunologiczne choroby nerek i wątroby,
- łuszczyca.

Przy reumatoidalnym zapaleniu stawów układ immunologiczny atakuje komórki maziowe stawów, przy zapaleniu tarczycy – komórki tarczycy, a przy cukrzycy – komórki trzustki. W przypadku chorób autoimmunologicznych trudno więc określić kierunek, w którym nastąpi ofensywa. Choroby te charakteryzują się również tym, że mogą występować w kilku różnych „wersjach" u tej samej osoby. Na przykład osoby chore na cukrzycę typu 1 często cierpią też na choroby autoimmunologiczne tarczycy (15–30% przypadków) lub niedokrwistość złośliwą (5–10% przypadków).

Na dodatek częstość zachorowań na choroby autoimmunologiczne rośnie w bardzo szybkim tempie. W latach 1998–2006 nastąpił niemal dwukrotny wzrost zapadalności na cukrzycę typu 1 w Polsce w grupie dzieci do lat 15[1]. Jeszcze szybciej częstość występowania cukrzycy typu 1 wzrasta w grupie dzieci najmłodszych w wieku 0–4 lat. W ciągu trzech lat w województwie pomorskim w Polsce liczba dzieci dotkniętych tą chorobą wzrosła 2,5 razy. Stale rośnie też liczba zachorowań na inne choroby autoimmunologiczne.

Z czego zatem dzisiaj, w dobie ogromnych postępów medycyny, wynika ten wzrost, kiedy teoretycznie powinniśmy być coraz zdrowsi?

Żyjemy w coraz bardziej zanieczyszczonym środowisku naturalnym. Toksyny zawarte są nie tylko we wdychanym powietrzu, lecz także w żywności, środkach chemii rolnej, kosmetykach, środkach czystości, lekarstwach. Jedną z pierwszych linii obronnych organizmu są jelita. Jeżeli nie działają one odpowiednio, do organizmu zaczynają wnikać różne cząsteczki białkowe, pasożyty, mikroorganizmy, chemiczne dodatki do żywności. Rzecz jasna, układ odpornościowy znajduje się wówczas w ciągłym kontakcie z tymi różnorodnymi substancjami. Gdy na każdym kroku pojawia się to zagrożenie i antygeny naruszają jego stabilność – w pewnym momencie może ulec przeciążeniu. To ciągłe nadmierne wystawianie układu odpornościowego na atak antygenów powoduje, że traci on orientację, a to może prowadzić do swego rodzaju całkowitego szaleństwa, czyli chorób autoimmunologicznych.

Czy dieta może mieć wpływ na powstawanie i leczenie chorób autoimmunologicznych? Zdecydowanie tak. Jeżeli nawet efekty nie są spektakularne, to z całą pewnością odpowiednią dietą można złagodzić przebieg wielu chorób. Jest to jednocześnie nieinwazyjna, bardzo prosta metoda terapii, która nie wywołuje działań niepożądanych. Niestety, często stanowi zaniedbywaną formę pomocy osobom chorym, co może wynikać z niechęci lub po prostu z niewiedzy.

Przegląd literatury i wyników badań dotyczących wpływu diety na choroby autoimmunologiczne[2] pokazuje, że diety wegetariańskie, często z eliminacją glutenu i mleka, najkorzystniej wpływają na ich przebieg. Działają one korzystnie w takich chorobach, jak reumatoidalne zapalenie stawów, toczeń, zapalenie tarczycy, cukrzyca, choroba Leśniowskiego-Crohna, łuszczyca, a nawet stwardnienie rozsiane.

Do prawidłowego funkcjonowania układ odpornościowy potrzebuje odpowiedniej ilości mikro- i makroelementów, witamin i fitozwiązków. Zdarza się, że niedobór nawet jednego składnika w diecie powoduje dysfunkcję. Źródłem wszystkich tych niezbędnych składników są nieprzetworzone produkty roślinne: warzywa, owoce, rośliny strączkowe, zboża, orzechy, pestki, nasiona. Zawierają one mnóstwo antyoksydantów, które pomagają organizmowi uporać się z zanieczyszczeniem i jednocześnie go wzmocnić. Ważne jest przy tym wyeliminowanie pokarmów, które mogą wywoływać reakcje autoagresywne oraz alergiczne, zwłaszcza mleka, pszenicy i glutenu. Oczywiście bardzo niekorzystny wpływ na choroby autoimmunologiczne mają wszystkie pokarmy o bardzo znikomej wartości odżywczej – fast foody, cukier, słodycze, żywność wysokoprzetworzona.

Rozdział 3

ALERGIE

Po raz pierwszy objawy alergii opisano w XVIII wieku – wydzielinę z nosa pojawiającą się na skutek kontaktu z sianem nazwano katarem siennym. Potem oczywiście odkryto, że siano jest tylko jednym z wielu czynników wywołujących odczyny alergiczne w organizmie człowieka. Nazwa zwyczajowa jednak pozostała.

Alergie to rodzaj nadgorliwości układu odpornościowego rozpoznającego potencjalnego wroga w czynnikach, które niekoniecznie tym wrogiem są, takich jak wspomniane wcześniej siano. Alergeny to z reguły białka lub inne związki pochodzenia roślinnego albo zwierzęcego bądź niektóre wytwarzane przez człowieka substancje, na przykład kosmetyki, artykuły chemiczne, leki. Najczęstsze alergeny to pyłki roślin (drzew, traw, zarodniki pleśni), pokarmy (mleko, pszenica, soja, jaja, wołowina) i alergeny odzwierzęce (sierść kota czy psa, jad os, roztocza), a także różne środki chemiczne (lateks, kosmetyki, środki czystości i inne) oraz lekarstwa.

Alergie mogą powstawać na skutek zaangażowania różnych mechanizmów odpornościowych. W literaturze medycznej coraz częściej pojawia się problem, jakiego typu reakcje układu odpornościowego są alergią, a jakie nie są. W starszych podręcznikach brano pod uwagę głównie reakcje zależne od IgE (I typ reakcji alergicznych według Gella-Coombsa). Współcześnie wielu alergologów skłania się do szerszego rozumienia pojęcia alergii, głównie zaś alergii przebiegających z udziałem połączeń antygen–przeciwciało. Choroby powodowane przez te alergie często w ogóle nie są kojarzone z procesem alergicznym, gdyż występują w bardzo różnorodnych narządach ciała, niekoniecznie takich, w których znajdują się komórki tuczne.

Alergia zależna od IgE (atopia)

Jest to najobszerniej opisywany w literaturze typ alergii. W wypadku alergii zależnej od IgE występuje w organizmie nadprodukcja przeciwciał klasy IgE. Charakteryzuje się ona nadwrażliwością komórek tucznych w tkankach mających styczność ze światem zewnętrznym, takich jak błony śluzowe nosa, gardła, oskrzeli, skóry czy jelit.

Kiedy alergen, na przykład mleko krowie, dostanie się po raz pierwszy do organizmu osoby predysponowanej do alergii zależnej od IgE, limfocyty B (komórki układu odpornościowego) zaczynają się intensywnie dzielić. Następnie prezentują one alergen limfocytom T, pełniącym funkcję dowódców regulujących działanie układu immunologicznego. Limfocyty T niejako zlecają limfocytom B wytwarzanie przeciwciał przeciwko temu konkretnemu alergenowi. Ten pierwszy kontakt z alergenem przebiega bezobjawowo.

Po zniszczeniu wroga niewielka ilość przeciwciał pozostaje we krwi na stałe, na wypadek gdyby ten sam wróg znów dostał się do organizmu. Żyją one przyczepione do powierzchni komórek tucznych, w surowicy i błonach śluzowych. W razie drugiego lub kolejnego kontaktu osoby uczulonej na ten konkretny alergen, przeciwko któremu zostały już wytworzone przeciwciała, przeciwciała IgE wiążą się z alergenem, co powoduje degranulację komórek tucznych. W procesie tym uwalniają się substancje prozapalne, między innymi histamina i leukotrieny.

Alergia zależna od IgE powoduje choroby narządów, w których występują komórki tuczne: jamy nosowej, uszu, gardła, krtani, oskrzeli, jelit i skóry. W narządach tych następuje reakcja alergiczna objawiająca się katarem, kaszlem, obrzękiem, pokrzywką, wysypką itp. Najcięższą postacią atopii jest wstrząs anafilaktyczny, który może doprowadzić nawet do śmierci.

Alergie zależne od IgE to alergie na całe życie. Są one stosunkowo łatwo wykrywane ze względu na szybkie pojawianie się symptomów.

Alergia zależna od IgG (nietolerancja pokarmowa)

W świecie medycznym definicja pojęcia „alergia" jest stale dyskutowana. Wielu specjalistów używa tego terminu wyłącznie w odniesieniu do reakcji zależnych od IgE (atopowych). Jednak w szerszym ujęciu każda nadwrażliwość na pokarmy wywołująca reakcję układu odpornościowego jest alergią. Na potrzeby tej książki używam tego szerszego ujęcia alergii. Jednym z istotniejszych typów reakcji obejmujących pojęcie alergii w tym znaczeniu są alergie zależne od IgG.

Alergie zależne od IgG to rodzaj alergii, który często w ogóle nie jest wykrywany, gdyż może dotyczyć narządów niekojarzonych z reakcjami alergicznymi, takich jak stawy czy naczynia krwionośne. Związek przyczynowo-skutkowy między spożywanym pokarmem a reakcją alergiczną jest w tym wypadku bardzo trudny do wychwycenia również z tego względu, że reakcje te przebiegają z opóźnieniem, a objawy występują po upływie 8–72 godzin od spożycia pokarmu. Dlatego też nazywa się je często opóźnionymi reakcjami pokarmowymi.

Alergia zależna od IgG jest związana głównie z zaburzeniami ciągłości bariery jelitowej. Jeżeli na skutek różnych czynników jelita ulegają osłabieniu i nadmiernie przepuszczają zawartą w nich treść, to niestrawione lub nie w pełni strawione cząsteczki pokarmowe przenikają do krwi i mogą stać się antygenem, wywołując reakcję układu odpornościowego[3]. Prowadzi to do powstawania kompleksów antygen–przeciwciało. Kompleksy te aktywują następnie fagocyty, mające za zadanie niszczenie kompleksu antygen–przeciwciało. Aktywacja ta może nastąpić w miejscu ich tworzenia, a także w różnych tkankach organizmu, do których fagocyty dostają się wraz z krwią. Kompleksy antygen–przeciwciało mogą przemieszczać się i osadzać w rozmaitych miejscach organizmu, na przykład w błonie maziowej stawów, naczyniach krwionośnych czy skórze. Długotrwałe odkładanie się kompleksów immunologicznych w tkankach i narządach ciała powoduje miejscowe stany zapalne i może się przyczyniać do powstawania wielu dolegliwości.

Wystąpienie objawów różni się w zależności od specyficznej natury kompleksu immunologicznego, a także ze względu na tkankę, w której kompleksy są odkładane. Takie objawy, jak nadciśnienie tętnicze mogą wynikać z gromadzenia się kompleksów w ścianach naczyń krwionośnych. Katar, zapalenie zatok czy płuc mogą wynikać z odkładania się kompleksów w drogach oddechowych, natomiast wysypki i problemy skórne to wynik gromadzenia się kompleksów w skórze.

Choroby, u których podłoża może leżeć opóźniona alergia pokarmowa, są bardzo liczne:

- **Choroby układu oddechowego**
  Astma, alergiczne zapalenie oskrzeli i płuc, katar alergiczny, alergiczne zapalenie zatok
- **Choroby układu pokarmowego**
  Afty, biegunka, bóle brzucha, zespół jelita drażliwego (IBS), zapalenie śluzówki jelit, wzdęcia, zaparcia, choroba Leśniowskiego-Crohna
- **Choroby układu krążenia**
  Żylaki, miażdżyca, nadciśnienie tętnicze

- **Choroby układu rozrodczego**
  Przerost prostaty, impotencja, zespół policystycznych jajników, nieregularne miesiączki, bezpłodność
- **Choroby ośrodkowego układu nerwowego**
  Zespół nadpobudliwości ruchowej z deficytem uwagi (ADHD), bóle głowy, depresja, zespół przewlekłego zmęczenia

Należą do nich także reumatoidalne zapalenie stawów, choroby oczu oraz skóry.

Długotrwałe narażenie tkanek na napływ kompleksów antygen–przeciwciało doprowadza do ich stopniowej degeneracji i pogłębiania się procesu chorobowego.

W alergiach zależnych od IgG szczególną rolę odgrywa jelito i jego przepuszczalność – duża przepuszczalność jelitowa zdecydowanie zwiększa ryzyko deregulacji układu odpornościowego.

Alergie IgG nie są alergiami na całe życie. Po wyleczeniu można ponownie wprowadzić do jadłospisu wiele pokarmów, ale jeżeli występują niedobory enzymów trawiących niektóre składniki pokarmowe, np. laktozy w mleku, nadal powinniśmy unikać jedzenia tych produktów, które źle trawimy.

Rozdział 4

JELITO – BARIERA OCHRONNA ORGANIZMU

Jelito cienkie jest wyściełane błoną śluzową, na której powierzchni znajdują się małe wypustki zwane kosmkami jelitowymi, mające za zadanie zwiększenie powierzchni chłonnej jelita. Kosmek jelita cienkiego ma długość 0,3–1,5 m, a na każdym milimetrze kwadratowym znajduje się ich 10–40, co zwiększa powierzchnię jelita cienkiego prawie 20 razy. Nabłonkowa bariera jelitowa składa się z różnego typu komórek i pełni wiele różnorodnych funkcji. Najważniejsze z nich to: transport wszelkich substancji odżywczych, elektrolitów i płynów, blokowanie wchłaniania różnych szkodliwych dla organizmu substancji oraz funkcja immunologiczna – polegająca na obronie przed różnymi antygenami.

Układ odpornościowy przewodu pokarmowego

Błona śluzowa przewodu pokarmowego znajduje się niemal w ciągłym kontakcie z różnymi czynnikami znajdującymi się w spożywanym pokarmie. Mogą to być czynniki zupełnie nieszkodliwe, wręcz zbawienne dla naszego zdrowia, ale mogą to być również czynniki toksyczne. Dlatego jelito tworzy barierę zabezpieczającą przed przenikaniem różnorodnych toksyn i to właśnie w jelitach znajduje się znaczna część układu odpornościowego.

Układ odpornościowy jelit, zwany systemem GALT, składa się ze zorganizowanych wyspecjalizowanych kompleksów komórkowych, takich jak kępki Peyera, oraz rozproszonych komórek występujących w blaszce właściwej jelita i w nabłonku znajdującym się na kosmkach jelitowych. Kiedy treść pokarmowa przesuwa się przez jelito, komórki te mają za zadanie zwalczenie ewentualnych substancji toksycznych oraz innych antygenów.

Większość powstałych w kępkach Peyera limfocytów B i T przemieszcza się do narządów obwodowych układu limfatycznego błon śluzowych. Mogą to być błony śluzowe zarówno układu pokarmowego, jak i innych narządów ciała. Jest to bardzo istotne, gdyż spożycie pokarmu uczulającego może wywoływać objawy alergiczne w samym przewodzie pokarmowym, jak również w innych narządach (np. w skórze lub błonach śluzowych nosa). Dlatego właśnie osoba uczulona na pomarańcze może po ich zjedzeniu dostać wysypki skórnej lub kataru.

Każdy z nas ma w jelitach fabrykę

W organizmie człowieka znajduje się fabryka. Pracuje ona dzień i noc, pełniąc różnorodne funkcje, polegające na wytwarzaniu wybranych witamin, utylizacji różnych substancji toksycznych, zapobieganiu nowotworom, konkurowaniu z mikroorganizmami patogennymi, które mogą wywoływać procesy chorobowe. Prócz tego stymuluje ona układ odpornościowy oraz zapobiega alergiom. Fabryka ta znajduje się w jelitach i stanowią ją różne mikroorganizmy je zasiedlające. Mikroorganizmy te są niezbędne do funkcjonowania ludzkiego organizmu.

W zdrowym organizmie różnorodne szczepy bakteryjne zasiedlają określone odcinki przewodu pokarmowego. Sok żołądkowy i jego niska wartość pH ma działanie bakteriobójcze, dlatego żołądek u zdrowej osoby jest prawie jałowy (*Helicobacter pylori* to mikroflora patologiczna). W jelicie cienkim liczebność bakterii jest już większa. Występują tu głównie *Lactobacillus acidophilus*, *Lactobacillus casei* i streptokoki. Są też niewielkie ilości bifidobakterii.

Największą ilość i zróżnicowanie wykazuje natomiast mikroflora jelita grubego. Znajdziemy tu bakterie, które pełnią w organizmie człowieka szczególnie korzystne funkcje, nazywane bakteriami probiotycznymi (probiotykami), między innymi *Lactobacillus*, *Bifidobacterium*, *Enterococcus*.

Już ponad sto lat temu rosyjski uczony Ilja Miecznikow zauważył, że pałeczki *Lactobacillus* są niezmiernie istotne dla zachowania zdrowia i długiego życia. Jednak prawdziwe zainteresowanie mikroorganizmami jelitowymi i ich ogromną rolą w funkcjonowaniu ustroju rozpoczęło się dopiero pod koniec dwudziestego wieku. Bakterie te są istną fabryką wspomagającą biotransformację różnych związków chemicznych dostarczanych do organizmu wraz z pokarmem. Mają zdolność wytwarzania witamin B i K. Biorą udział w procesach rozkładu resztek pokarmowych, w wyniku czego powstają różnorodne związki, na przykład krótkołańcuchowe kwasy tłuszczowe oraz inne, które odżywiają i stymulują komórki jelitowe. Bakterie te regulują również gospodarkę mineralną jonów wapnia, magnezu i żelaza.

W jelicie grubym panują homeostaza i konkurencyjność między poszczególnymi szczepami mikroorganizmów o dostęp do pożywienia. Dlatego też obecność bakterii probiotycznych utrudnia osiedlanie się w jelitach niekorzystnych szczepów. Hamowanie zasiedlania jelita grubego przez patogeny to jedna z bardzo istotnych funkcji pełnionych przez mikroorganizmy jelitowe. W badaniach[4] udowodniono korzystny wpływ probiotyków w przypadku biegunek bakteryjnych i wirusowych (wywołanych na przykład przez bakterie *Shigella* czy *Salmonella*). Jest to jeden z przejawów tego, w jaki sposób korzystne bakterie mogą hamować namnażanie się i rozwój bakterii szkodliwych, a jednocześnie zapobiegać infekcjom bakteryjnym czy wirusowym.

Wspomaganie układu odpornościowego człowieka to kolejne korzystne ich działanie. Bakterie te to jedne z pierwszych antygenów, z którymi ma do czynienia układ odpornościowy przewodu pokarmowego. To na nich niejako odbywa się trening układu immunologicznego. Badania wykazują, że obecność probiotyków w jelicie człowieka zwiększa aktywność makrofagów i limfocytów, dzięki czemu organizm łatwiej i szybciej zwalcza infekcje czy nawet groźniejsze choroby.

Alergie są pewną nadgorliwością układu odpornościowego. Jeżeli więc mikroflora jelitowa ma wpływ na zmienność immunologiczną organizmu, można przypuszczać, że ma również istotne znaczenie dla zapobiegania i leczenia alergii. I rzeczywiście, wiele badań dowodzi, że mikroflora jelitowa pozostaje w ścisłej korelacji z występowaniem chorób alergicznych. W jelitach alergików dużo częściej znajdują się szkodliwe patogenne mikroorganizmy niż w jelitach osób zdrowych, w których dominują korzystne bakterie probiotyczne. Potwierdziły to badania przeprowadzone u dzieci szwedzkich i estońskich[5]. Obserwowano 63 dzieci, wśród których było 36 dzieci bez objawów alergii oraz 27 dzieci z potwierdzoną alergią na mleko krowie i jaja. Następnie przebadano skład mikroflory jelitowej dzieci z obu grup. Okazało się, że dzieci, u których przeważały niekorzystne szczepy bakterii, znacznie częściej zapadały na choroby alergiczne niż dzieci, u których przeważały szczepy *Lactobacillus* i *Eubacteria*. Podobne wyniki uzyskano w badaniach z udziałem dzieci duńskich[6]. Dzieci, u których w wieku niemowlęcym wykazano w jelicie większą ilość bakterii niekorzystnych, badane w wieku 2 lat częściej wykazywały objawy alergii, cierpiąc na atopowe zapalenie skóry (AZS) czy astmę. Wskazuje to na wyraźną zależność między chorobami alergicznymi a stanem mikroflory zasiedlającej jelita. Bakterie probiotyczne zapobiegają chorobom alergicznym, natomiast niekorzystne szczepy nasilają objawy alergii.

Zespół przeciekającego jelita

Śluzówka przewodu pokarmowego pozostaje w ścisłym kontakcie z różnorodnymi alergenami przechodzącymi przez przewód pokarmowy. Gdy nabłonek błony śluzowej jelita jest zdrowy, tylko niewielkie ilości tych antygenów przedostają się przez ścianę jelit do organizmu. Co się dzieje, gdy błony jelit ulegną uszkodzeniu na skutek różnych czynników, takich jak pasożyty, alergie, leki czy brak błonnika w diecie? Otóż dochodzi wtedy do powstania tzw. zespołu nieszczelnego jelita. Jelita, które powinny jedynie wybiórczo przepuszczać do krwiobiegu niektóre związki, stają się jak sitko, przez które przechodzą do krwiobiegu niestrawione lub nie w pełni strawione składniki pokarmowe. Krążące we krwi komórki układu odpornościowego mogą dopatrzyć się w tych nie do końca strawionych składnikach pokarmowych potencjalnego wroga i wysłać przeciwko nim wojsko w postaci komórek układu odpornościowego. W efekcie przy zbyt nasilonym przechodzeniu antygenów może się pojawić nadmierna odpowiedź immunologiczna doprowadzająca do schorzeń całego organizmu.

Dlaczego zatem jelito może przeciekać, doprowadzając do przenikania składników pokarmowych i chorób? Czyżby organizm ludzki nie potrafił kontrolować szczelności jelit? Odpowiedź prawdopodobnie nie będzie dużym zaskoczeniem. To współczesny tryb życia i sposób odżywiania powoduje różne problemy całego organizmu, w tym również jelit. Wpływ na ich uszkodzenia może mieć patologiczny rozrost niektórych mikroorganizmów jelitowych, niewłaściwa dieta czy pewne jej składniki (alergeny, gluten), jak również niektóre lekarstwa, a nawet stres.

Znaczący udział w uszkadzaniu jelit mają różne toksyczne mikroorganizmy jelitowe. Mają one zdolność przyczepiania się do błony śluzowej jelit i jej uszkadzania. Szczególnie istotną rolę mogą odgrywać grzyby *Candida albicans*. Penetrują one grzybnią ściany jelit, przez co powstają w nich mikroubytki i wyglądają one jak sito, przez które przenikają cząsteczki pokarmowe. *Candida albicans* są naturalnym komponentem mikroflory jelit, ale stanowią jedynie niewielki odsetek organizmów je zasiedlających. Pod wpływem takich czynników, jak nieodpowiednia dieta, przyjmowanie antybiotyków czy stres mogą się one namnażać w patologiczny sposób, doprowadzając jednocześnie do zmniejszenia populacji korzystnych bakterii. Główną przyczyną zasiedlania przez grzyby *Candida* ludzkich jelit jest niewłaściwa dieta, obfitująca w produkty wysokoprzetworzone, zwłaszcza cukier, ciastka, ciasta i słodycze. Drożdżaki wręcz uwielbiają wszystko, co słodkie, stanowi to dla nich doskonałą pożywkę. Odpowiednia dieta nie jest jednak jedynym sposobem na niedopuszczanie do nadmiernego rozrostu *Candida* w jelitach. Również przyjmowanie antybiotyków wpływa bardzo niekorzystnie na stan jelit, doprowadzając do rozrostu drożdżaków, jednocześnie wyginięcia dobroczynnej mikroflory jelitowej. Antybiotyki zabiją to, co korzystne, pozostawiając naszych wrogów, jakimi są grzyby *Candida*. Recepta na pozbycie się drożdżaków to unikanie nieuzasadnionego przyjmowania antybiotyków, dieta bogatoresztkowa, obfitująca w pełnowartościowe produkty roślinne, unikanie stresu oraz oczywiście dużo ruchu na świeżym powietrzu.

Alergie również mają swój udział w uszkodzeniach błony śluzowej jelit. Jakikolwiek pokarm, który wchodzi w reakcję odpornościową z organizmem jako antygen, może powodować stany zapalne jelit, a co za tym idzie – uszkodzenia w ich ścianie, doprowadzając w rezultacie do ich zwiększonej przepuszczalności. Pszenica, gluten, mleko lub inne produkty uczulające, takie jak orzechy ziemne, soja, kukurydza, jaja, jeżeli zostaną rozpoznane jako antygen – mogą wywoływać stany zapalne i doprowadzać do ubytków w ścianie jelit.

Również duże spożycie mięsa wpływa niekorzystnie na stan błony jelita (także powstawania raka jelita). Wynika to między innymi z tego, że mięso i produkty pochodzenia zwierzęcego nie zawierają ważnego dla jelit błonnika, który prócz tego, że ma zdolność wymiatania z jelit różnych szkodliwych pozostałości, jest doskonałą pożywką dla bakterii korzystnych dla zdrowia. W wielu badaniach udokumentowano korelację między występowaniem raka jelit, zaparciami, zapaleniami błony jelit i dużym spożyciem mięsa. Podobnie toksycznie na błony jelit działają wszelkie pokarmy wysokoprzetworzone, takie jak cukier, mąka oczyszczona, ryż, różnego rodzaju dodatki do żywności. O ile mięso z natury nie zawiera błonnika, o tyle pozostałe wymienione produkty są go pozbawiane w procesie rafinacji, oczyszczania bądź ekstrakcji.

Często też nie zdajemy sobie sprawy, jak bardzo istotnym czynnikiem dla zachowania zdrowia układu pokarmowego i utrzymania ciągłości błony śluzowej jelit jest dokładne gryzienie pokarmu. I nie chodzi tu o gryzienie każdego kęsa po dwa, trzy razy, lecz przeżuwanie co najmniej dwadzieścia razy, aż do uzyskania w ustach papki. Jeżeli pokarm żujemy niedokładnie, do jelit docierają zbyt duże jego cząstki, które zalegają w przewodzie pokarmowym, drażniąc ściany jelit i doprowadzając do stanów zapalnych, czego skutkiem jest również zwiększona przepuszczalność.

Przyczyną uszkodzeń błony śluzowej niezwiązaną z rodzajem diety są też niektóre lekarstwa. Zwłaszcza niesteroidowe leki przeciwzapalne działają na błonę śluzową jelit jak detergent, który uszkadza ochronną warstwę fosfolipidów na powierzchni nabłonka jelit, prowadząc do nadżerek, krwawień oraz osłabienia połączeń między komórkami jelit. Jak widać, przyczyn uszkodzeń błony śluzowej jelit może być bardzo dużo, co związane jest głównie ze współczesnym trybem życia i sposobem odżywiania.

Przepuszczalność jelitową diagnozuje się na podstawie obecności w moczu wcześniej spożytych substancji. W badaniach wykorzystuje się do tego celu różne niemetabolizowane cukry. Często stosowaną metodą jest test absorpcji cukrów, w którym podaje się doustnie próbki cukrów, a następnie mierzy ich poziom w moczu. Zwiększoną przepuszczalność stwierdza się w przebiegu wielu schorzeń, takich jak alergie, celiakia, choroba Duhringa, zapalenia jelit, choroba trzewna, reumatoidalne zapalenie stawów, mukowiscydoza, ADHD, autyzm. Wskazuje to na wyraźną zależność między przepuszczalnością jelit a powstawaniem różnych chorób.

ROZDZIAŁ 5

WYBRANE CHOROBY O PODŁOŻU ALERGICZNYM I AUTOIMMUNOLOGICZNYM LUB TAKIE, NA KTÓRE MAJĄ WPŁYW SPOŻYWANE POKARMY

UKŁAD ODDECHOWY

Choroby układu oddechowego, których przyczyną może być alergia pokarmowa, to głównie astma, alergiczne zapalenie płuc i oskrzeli, alergiczne zapalenie gardła, katar oraz alergiczne zapalenie zatok.

Przy wszystkich chorobach alergicznych układu oddechowego problemem niezwykle istotnym jest jakość wdychanego powietrza. Czynniki powodujące podrażnienie dróg oddechowych to wszelkie zanieczyszczenia powietrza pochodzące ze spalin samochodowych, z fabryk, elektrowni, elektrociepłowni i szeroko pojętego przemysłu, a także ze środków czystości, z kosmetyków, farb, lakierów, sztucznych wykładzin itp. Palenie papierosów również bardzo szkodzi układowi oddechowemu. Substancje smołotwórcze z dymu papierosowego niszczą delikatny nabłonek nosa i dróg oddechowych, będący naturalną barierą ochronną zabezpieczającą przed wnikaniem różnych toksyn, a także potencjalnych alergenów. Kiedy jej brakuje, wszystko, czym oddychamy, może łatwiej przedostawać się do układu krwionośnego i wchodzić w interakcje z układem immunologicznym.

Nie można mówić o leczeniu alergii układu oddechowego bez zerwania z nałogiem palenia papierosów.

Choroby alergiczne nosa i zatok przynosowych

Śluzówka nosa ma bezpośredni kontakt z wdychanym powietrzem, dlatego jest najbardziej narażona na ataki ze strony środowiska zewnętrznego. Jeżeli powietrze jest skażone i zanieczyszczone, to drażni ono błony śluzowe nosa, które automatycznie stają się bardziej wrażliwe na wpływ alergenów. Nierzadko chorobą alergiczną jest katar. Katar jest często lekceważony jako choroba niegroźna. Może gdybyśmy potraktowali go bardziej serio, rzadziej dochodziłoby do znacznie poważniejszych i trudniejszych do leczenia chorób, takich jak zapalenie zatok, oskrzeli czy płuc. Ważną rolę w procesie oddychania odgrywa nos, dlatego najmniejszy nawet katar stanowi skuteczną przeszkodę.

Dlaczego oddychanie nosem jest takie ważne?

Pamiętam lekcję jogi, na której nauczyciel uczył nas prawidłowego oddechu. Kiedy nabrał powietrza, wszyscy zamarliśmy. Jego oddech nie był zwykłym oddechem. Gdy oddychał, cały stawał się oddechem, a czas zatrzymywał się na chwilę. Jego oddech był jak morska fala – spokojny, silny przypływ i odpływ.

Jeżeli chcemy w zdrowiu dożyć swoich setnych urodzin, powinniśmy oddychać nosem. Kiedy oddychamy ustami, oddech jest niepełny i powierzchowny. Automatycznie wyłączamy z oddechu dolne części płuc, czego efektem jest niedotlenienie organizmu. Lista skutków niedotlenienia organizmu jest bardzo długa i w zasadzie dotyczy wszystkich narządów ciała – po prostu tlen jest pierwiastkiem niezbędnym do zachodzących w organizmie procesów.

Powietrze wdychane ustami nie zostaje w takim stopniu ogrzane, jak dzieje się to, gdy oddychamy nosem. W zakatarzonych nosach alergików może się dodatkowo rozwinąć infekcja bakteryjna. Bakterie nasilają stan zapalny i dodatkowo zwiększają ilość wydzieliny. Kiedy udamy się do lekarza, ten prawdopodobnie przepisze antybiotyk, żeby zwalczyć infekcję. I tutaj koło się zamyka: ciągłe branie antybiotyków prowadzi do osłabienia odporności i dalszych przewlekłych problemów zdrowotnych.

W wyniku wyłączenia nosa z procesu oddychania oskrzeliki i oskrzela muszą przejąć jego funkcje, do czego nie są anatomicznie przygotowane. Powietrze, przechodząc przez nos, oczyszcza się i ogrzewa, natomiast jeżeli dostaje się od razu do oskrzeli, jest zimne i bardziej zanieczyszczone.

Zarówno przy alergicznym katarze, jak i zapaleniu zatok baczną uwagę trzeba zwrócić zwłaszcza na mleko i produkty mleczne. Spotykam się często z przekonaniem, że katar wywołują pyłki, sierść czy inne alergeny wziewne, a układ pokarmowy i różnorodne składniki pokarmowe nie mają z nim nic wspólnego. Prawda jest w tym wypadku częściowa – alergeny wziewne wywołują alergie, ale alergeny pokarmowe również mają w nich swój udział.

Zwłaszcza dzieci alergiczne bardzo cierpią z powodu podawania im mleka. Rodzice, w dobrej wierze, przekonani, że mleko jest bardzo zdrowe, zachęcają dziecko do jego picia, czego skutkiem są ciągłe katary lub zapalenie zatok, a co za tym idzie – niedotlenienie organizmu i niechęć do nauki. Nauczyciele i rodzice winią dziecko za lenistwo, a tymczasem niedotleniony mózg nie jest w stanie uczyć się i przyswajać nowej wiedzy. Zrobienie testów alergicznych i przekonanie się, jakie produkty wywołują reakcje alergiczne, a następnie ich odstawienie, wpłynie również na większą chęć do nauki.

Astma

Astma jest przewlekłą chorobą zapalną dróg oddechowych. W jej przebiegu obserwuje się zmniejszenie przepływu powietrza na skutek różnych powiązanych ze sobą czynników: tworzenia się stanów zapalnych i skupisk śluzowych, obrzęku ścian oskrzeli, skurczu oskrzeli i zgrubienia ścian oskrzeli. Objawy astmy mogą być stosunkowo nieuciążliwe u chorego, więc bez większych problemów może on funkcjonować zarówno w środowisku rodzinnym, jak i zawodowym. Duszność może jednak występować codziennie i znacznie utrudniać normalne życie, prowadząc nawet do śmierci.

Wciąż mało doceniana jest rola pokarmów w powstawaniu astmy, a mogą ją wywoływać różne alergeny pokarmowe. Z podstawowych trzeba wymienić mleko, jaja, ryby, orzechy ziemne, gluten, dodatki do żywności, drożdże. Astmę dosyć często wywołuje również popularny i uchodzący za nieszkodliwy lek – aspiryna (lub polopiryna).

W przypadku astmy konieczne jest zaprzestanie palenia papierosów, gdyż zawarte w nich substancje smołotwórcze uszkadzają delikatną śluzówkę układu oddechowego i dodatkowo pogarszają stan chorego. Astmatycy, podobnie zresztą jak wszyscy inni alergicy, powinni unikać szkodliwych kosmetyków i środków czystości, zanieczyszczonego powietrza, spalin samochodowych i dymów przemysłowych.

CHOROBY ALERGICZNE OCZU

Alergiczne zapalenie spojówek

Każdy, kto cierpi na alergiczne zapalenie spojówek, wie, jaka to nieprzyjemna choroba. Charakteryzuje ją silny świąd oczu, łzawienie, obrzęk dolnych i górnych powiek oraz wydzielina z worka spojówkowego. Z reguły objawy te występują wiosną oraz wczesnym latem i są związane z pyleniem roślin (głównie traw, zbóż, chwastów, niektórych drzew), ale przy alergicznej reakcji spojówek na sierść zwierząt, kurz domowy czy roztocza reakcja ta może utrzymywać się przez cały rok. Choremu bardzo trudno jest się uczyć, pracować i w ogóle funkcjonować. Podobnie jak w przypadku kataru alergicznego i innych alergicznych chorób dróg oddechowych ogromną rolę odgrywa jakość wdychanego powietrza – im większe zanieczyszczanie środowiska, tym częściej w populacji występują te choroby. Lateks, wszelkiego rodzaju dymy przemysłowe, spaliny samochodowe, jak również środki czystości i kosmetyki czy substancje chemiczne znajdujące się w otoczeniu są zbyt dużym obciążeniem dla układu odpornościowego, który zaczyna widzieć wroga w czymś tak naturalnym dla człowieka jak pyłki roślin.

Inna sprawa to oczywiście dieta. Wykluczenie niektórych pokarmów z jadłospisu może przynieść bardzo pozytywne efekty w przypadku alergicznego zapalenia spojówek. Wszystko, co nadmiernie obciąża układ odpornościowy, również doprowadza do alergii. Główni winowajcy to mleko, jaja, pszenica, soja, orzechy ziemne, dodatki chemiczne do żywności, grzyby *Candida*, drożdże.

UKŁAD POKARMOWY

Alergiczne, autoimmunologiczne oraz związane ze spożyciem niektórych pokarmów choroby układu pokarmowego to głównie zgaga, nieprzyjemny zapach z ust, bóle brzucha, niestrawność, zaparcia, biegunki, wzdęcia, otyłość brzuszna, zespół jelita drażliwego, celiakia, choroba Leśniowskiego-Crohna. W jelitach znajduje się bardzo duża część naszego układu odpornościowego, który reaguje histerycznie, kiedy wprowadzamy do układu pokarmowego składniki alergizujące, rozpoznawane przez układ odpornościowy jako potencjalny wróg.

Biegunka

Biegunka to stan, w którym często (częściej niż cztery razy na dobę) oddawane są luźne, wodniste stolce. W przypadku biegunek sporadycznych przyczyną może być zakażenie infekcyjne. Jeżeli jednak stan jest nawracający, to można podejrzewać alergię. Dobrze jest wykonać testy alergiczne w celu rozpoznania przyczyny. Bardzo częstą przyczyną biegunek okazuje się mleko.

Zaparcia

Kłopoty z wypróżnianiem lekceważone przez wiele osób mogą prowadzić do poważnych problemów całego organizmu.

Jednym z czynników powstawania zaparć jest dieta ubogoresztkowa, ze zbyt małą ilością błonnika pochodzącego z nieprzetworzonych produktów roślinnych. Często zmiana takiej diety na dietę pełnowartościową może przynieść poprawę zdrowia i unormowanie się stolca. Jeżeli jednak po wprowadzeniu wegetariańskiej diety opartej na naturalnych nieprzetworzonych produktach zaparcia nadal się utrzymują, można podejrzewać, że choroba ma też przyczyny alergiczne. W badaniach przeprowadzonych w Instytucie Centrum Zdrowia Matki Polki w Łodzi[7] w latach 1998–2008 obserwacją objęto blisko 9,5 tysiąca dzieci. Z grupy tej wyłoniono dzieci z zaparciami i stwierdzono, że najczęstszą przyczyną zaparć była alergia na mleko krowie (72,8% dzieci). Po wprowadzeniu u tych dzieci diety wykluczającej mleko stwierdzono kliniczną poprawę. Genezę tak częstego powodowania zaparć przez alergeny niektórzy autorzy wyjaśniają powstawaniem nacieków eozynofilowych błony śluzowej, co może prowadzić do zaburzeń motoryki jelit, a w konsekwencji do zaparć. Charakterystyczną i często obserwowaną zmianą w przypadku zaparć na tle alergicznym jest rumień wokół odbytu i bolesność przy oddawaniu kału. Sytuacja poprawia się natomiast po odstawieniu pewnych pokarmów, zwłaszcza mleka i pszenicy.

Oprócz tego warto pamiętać o innych zasadach zdrowego odżywiania, które mogą pomóc niezależnie od rodzaju zaparć:

- Ważne jest bardzo staranne przeżuwanie pokarmu. Taki dokładnie przeżuty pokarm znacznie ułatwia pracę jelit.
- W miarę możliwości należy stosować proste połączenia pokarmowe, gdyż jedzenie zbyt różnorodnych pokarmów przyczynia się do procesów gnicia w jelicie grubym oraz do namnażania się niekorzystnej flory bakteryjnej.

- Jedzenie cukru rafinowanego znacznie zaburza przebieg trawienia i powoduje namnażanie się grzybów *Candida albicans*, które z kolei hamują wzrost korzystnej mikroflory jelitowej. Dlatego trzeba zwrócić szczególną uwagę na wyeliminowanie spożycia cukru i wyrobów cukierniczych.
- Alergie są bardzo często przyczyną zaparć, zwłaszcza alergie na mleko. Trzeba konsekwentnie stosować dietę eliminującą produkty, które wywołują uczulenia.
- Oczyszczony biały ryż i mąka oraz ich przetwory nie zawierają błonnika, który pomaga jelitom w przesuwaniu treści pokarmowej. Jedz produkty z pełnych ziaren.

Produkty, które odbudowują mikroflorę jelita grubego, to pożywienie zawierające korzystne dla układu pokarmowego bakterie (probiotyki), jak również pożywienie, które sprzyja namnażaniu się tychże mikroorganizmów (prebiotyki):

Produkty, które zawierają naturalne probiotyki:

Kapusta kiszona, ogórki kiszone, buraki kiszone i inne kiszone warzywa, kwas buraczany itp.

Produkty, które nie zawierają probiotyków, ale sprzyjają namnażaniu się korzystnej mikroflory bakteryjnej (prebiotyki):

Są to artykuły spożywcze, które zawierają błonnik: warzywa, owoce, rośliny strączkowe, kasze i zboża z pełnego przemiału (przy diecie bezglutenowej – tylko bezglutenowe), orzechy, nasiona, pestki.

Zaparcia częściej występują o osób prowadzących siedzący tryb życia.

Celiakia (choroba trzewna)

Opisy celiakii podawali już Hipokrates i Areteusz z Kapadocji. Jednak jej przyczyny nie były znane i przez wiele kolejnych stuleci celiakię uważano za chorobę o niewiadomej etiologii. W 1888 roku lekarz Samuel Gee jako pierwszy w nowożytnej medycynie opisał celiakię jako przewlekłą niestrawność, która może pojawiać się niezależnie od wieku i charakteryzuje się występowaniem jasnych pienistych stolców. Opisał dziecko chore na celiakię, u którego objawy choroby ustępowały na diecie złożonej z małży. Po powrocie do dotychczasowego sposobu odżywiania choroba dziecka wróciła. Dopatrywał się jej przyczyn w odpowiedniej diecie, jednak nie wskazał na gluten jako główny czynnik sprawczy. Świat medyczny ciągle nie wiedział, co powoduje chorobę trzewną. Rozwiązanie zagadki przyszło dopiero podczas drugiej wojny światowej. W tym czasie żywność była towarem deficytowym. Brakowało chleba i mąki. I właśnie dzięki temu holenderski lekarz Wille Dicke zaobserwował, że chorzy na celiakię, którzy jedli głównie ziemniaki, cebulki tulipanów i kapustę, wyraźnie lepiej się czuli. Kiedy Szwedzi zaczęli dostarczać samolotami różne produkty żywnościowe, w tym chleb, stan chorych znacznie się pogorszył. Dicke zaczął dopatrywać się związku między celiakią a spożyciem chleba. W 1950 roku przedstawił – kontrowersyjną jak na tamte czasy – rozprawę na temat szkodliwości niektórych produktów zbożowych. Jego stwierdzenia spotkały się początkowo z ostrą krytyką, gdyż nie chciano wierzyć, że „chleb nasz powszedni" może powodować chorobę o tak wyniszczającym przebiegu, jaką jest celiakia. Okazało się, że jednak może. To właśnie zawarty w niektórych zbożach gluten wywołuje chorobę trzewną u osób mających predyspozycje genetyczne.

Współcześnie podstawą leczenia celiakii jest wykluczenie z diety niektórych produktów zbożowych, gdyż choroba ta charakteryzuje się nieprawidłową odpowiedzią immunologiczną na spożywany gluten zawarty w zbożach, takich jak pszenica, żyto, jęczmień, owies oraz w pochodnych tych zbóż (takich jak pszenżyto, orkisz). W wyniku wspomnianej odpowiedzi immunologicznej dochodzi do charakterystycznych zmian w obrębie błony śluzowej jelita cienkiego, a we krwi stwierdza się serologiczne markery celiakii. Celiakia pośrednio powoduje wiele innych objawów klinicznych, zwłaszcza zespół złego wchłaniania, gdyż na skutek uszkodzenia błony śluzowej zaburzone zostaje przyswajanie wielu składników mineralnych, witamin i innych związków niezbędnych dla zdrowia. Z zaburzeniami wchłaniania wiążą się dysfunkcje mineralizacji kości oraz niedobór białka, witamin B, D, E, K i kwasu foliowego. Te niedobory to kompletna katastrofa całego organizmu – złamania kości, wychudzenie, próchnica zębów, zwyrodnienia stawów, wypadanie włosów.

Trudno uwierzyć, że zwykły kawałek chleba może działać u niektórych osób aż tak toksycznie. A jednak.

Choroba trzewna jest schorzeniem o nie do końca ustalonej etiologii, a jej wystąpienie wyjaśnia kilka hipotez tłumaczących schemat prowadzący do uszkodzenia błony śluzowej jelita. Z całą pewnością rolę odgrywają predyspozycje genetyczne, gdyż choroba występuje często rodzinnie. Oprócz nich udział w powstawaniu celiakii mają czynniki immunologiczne, środowiskowe i infekcyjne. Choroba może wystąpić w każdym wieku. Nie mamy więc gwarancji, że jeżeli dzisiaj jesteśmy zdrowi, to za kilka miesięcy nie okaże się, iż organizm źle toleruje gluten.

Jej przebieg może być bardzo różny. Celiakia jawna to przede wszystkim bardzo częste śmierdzące biegunki i spadek masy ciała, związany z upośledzonym wchłanianiem składników odżywczych w uszkodzonych jelitach. Z zaburzeniami wchłaniania wiążą się również zaburzenia rozwoju (u dzieci), niskorosłość, choroby spowodowane niedoborem składników odżywczych, stany depresyjne.

Celiakia skąpoobjawowa niekoniecznie daje objawy ze strony układu pokarmowego, natomiast może się wiązać z innymi dolegliwościami. Dlatego chorzy często nie podejrzewają nawet, że mogą mieć celiakię („przecież to taka rzadka choroba"). Jeżeli na przykład występuje anemia, z reguły zaleca się zwiększenie ilości żelaza i witaminy B_{12} w diecie bez analizowania możliwości zaistnienia celiakii. Tymczasem u chorych na celiakię większość składników pokarmowych źle się wchłania w jelicie i niezależnie od ilości dostarczonego żelaza po prostu się ono nie przyswaja.

Dlatego jedynym sposobem leczenia osób z celiakią jest całkowite wyeliminowanie glutenu z diety.

Poniżej omówiono niektóre objawy i choroby, do których może doprowadzić nieleczona celiakia.

Choroby autoimmunologiczne

Choroby autoimmunologiczne pojawiają się u osób z chorobą trzewną częściej niż u innych. U chorych na celiakię istnieje większe ryzyko, że wystąpią u nich choroba Hashimoto, cukrzyca typu 1, endometrioza, autoimmunologiczne choroby nerek i wątroby oraz inne choroby autoimmunologiczne.

Choroba Duhringa

Choroba Duhringa to skórna postać celiakii, nie zawsze właściwie zdiagnozowana. Leczy się ją podobnie jak celiakię, czyli przez całkowite wyeliminowanie z diety glutenu.

Choroby związane z upośledzonym wchłanianiem:

- Anemia na tle celiakii jest bardzo ściśle związana z uszkodzeniem kosmków jelitowych i zaburzeniami wchłaniania żelaza. Natomiast często jej przyczyna jest całkowicie niewłaściwe zdiagnozowana (z reguły jako niedobór żelaza w diecie, a nie jako słaba zdolność organizmu do jego przyswajania).
- Osteoporoza, podobnie jak anemia, jest wynikiem zaburzeń wchłaniania składników mineralnych u osób z celiakią, w szczególności wapnia, magnezu, krzemu oraz witamin.
- Hipoplazja szkliwa zębowego.
- Niskorosłość, niedorozwój fizyczny.
- Bezpłodność lub inne zaburzenia płodności: matki chore na celiakię często nie są w stanie donosić płodu, co kończy się poronieniami lub małą masą urodzeniową noworodka.

Choroby nowotworowe

Ryzyko zapadnięcia na choroby nowotworowe jest dwu-, a nawet trzykrotnie wyższe u osób chorych na celiakię w porównaniu z resztą populacji, zwłaszcza na raka gardła, przełyku i jelita cienkiego.

Zaburzenia psychiczne

Osoby z celiakią cierpią często na depresję, są drażliwe i nerwowe.

Objawy, które mogą wskazywać na pojawienie się celiakii i konieczność wykonania badań:

- występowanie celiakii w rodzinie (zwłaszcza u krewnych pierwszego stopnia);
- biegunki, bóle i wzdęcia brzucha;
- zespół jelita drażliwego;
- opóźnienie rozwoju, niskorosłość;
- niedowaga lub nadwaga nieustępujące mimo leczenia;
- różne choroby wynikające z niedoboru składników odżywczych pomimo racjonalnego odżywiania: osteoporoza, krzywica, próchnica, niedokrwistość;
- wszystkie choroby autoimmunologiczne: cukrzyca typu 1, toczeń, choroby immunologiczne tarczycy, wątroby, nerek itd.;
- zaburzenia płodności z niewiadomych przyczyn;
- uczucie zmęczenia, depresja lub odwrotnie: nadreaktywność, nerwowość.

Badania

W razie podejrzenia celiakii trzeba zwrócić się do lekarza w celu przeprowadzenia odpowiednich badań. Dostępne są badania genetyczne, które pozwalają określić prawdopodobieństwo wystąpienia choroby. Prócz tego zwykle wykonuje się biopsję jelita cienkiego, a także oznacza się stężenie przeciwciał:

- przeciwko transglutaminazie tkankowej (tTG),
- przeciwko endomysium mięśni gładkich (EMA).

Biopsja jelita cienkiego może być ewentualnie pominięta, jeżeli są jednocześnie spełnione inne kryteria: występowanie objawów celiakii, obecności przeciwciał tTG w stężeniu ponad dziesięć razy powyżej górnej granicy normy, obecność EMA oraz dodatni wynik badania genetycznego.

Optymalne leczenie choroby trzewnej to stosowanie odpowiedniej diety, która polega na całkowitym wyeliminowaniu glutenu, czyli pszenicy, jęczmienia, żyta i owsa (dopuszczalny jest owies bezglutenowy, specjalnie oznakowany) oraz wszelkich pochodnych tych zbóż i produktów, które mogą je zawierać. Osoby chore na celiakię nawet po kilku latach stosowania diety bezglutenowej nadal nie mogą spożywać glutenu. Dieta obowiązuje przez całe życie, gdyż spożycie nawet bardzo niedużych ilości glutenu może wywołać nawrót objawów. U chorych często odnotowuje się również wysokie wartości przeciwciał przeciwko innym antygenom pokarmowym, głównie białkom mleka krowiego i jaj, dlatego osoby te powinny zbadać także tolerancję na inne pokarmy.

Wrzodziejące zapalenie jelita grubego

Jest to zapalenie śluzówki jelita grubego, którego głównymi objawami są rozwodnione stolce z krwią, skurcze w dole brzucha, bóle. Objawy mogą być zarówno bardzo łagodne, jak i intensywne. W przebiegu choroby zawsze zajęta jest odbytnica, w 50% przypadków również esica, a w 20% całe jelito.

Przyczyną wrzodziejącego zapalenia jelita grubego może być niekorzystne działanie pokarmów, głównie takich jak mleko, jaja, pszenica, soja.

SKÓRA

Skóra jest najbardziej zewnętrzną częścią ciała i często różnorodne procesy alergiczne oraz inne procesy chorobowe uzewnętrzniają się właśnie jako problemy skórne.

Do klasycznych alergicznych chorób skóry zalicza się atopowe zapalenie skóry, pokrzywkę i wyprysk kontaktowy. Wiele chorób skóry, które nie są klasyfikowane jako typowo alergiczne, może również mieć związek z zaburzeniami układu odpornościowego, np. łuszczyca.

Atopowe zapalenie skóry

Atopowe zapalenie skóry z reguły występuje od okresu niemowlęctwa. Niemowlę cierpiące na AZS ma zaczerwienione ogniska zapalne na skórze twarzy, rąk, nóg, pośladków, często nawet na całym ciele. Charakterystyczne jest usytuowanie zmian na twarzy i szyi oraz w zgięciach stawów, zwłaszcza kolanowych i łokciowych. Atopowe zapalenie skóry u małych dzieci jest często leczone objawowo, bez dokładnego i wnikliwego zbadania przyczyn choroby. Prowadzi to, niestety, do sytuacji, w której wzrasta ilość toksycznych substancji w organizmie dziecka, natomiast po latach okazuje się, że pojawiają się inne rodzaje alergii.

Wyniki wielu badań naukowych pokazują, że u większości osób AZS z wiekiem wygasa. Natomiast inne badania wskazują na wyraźną zależność między wystąpieniem AZS w dzieciństwie a zapadalnością na inne alergie w późniejszym wieku. Alergolodzy określają zjawisko przenoszenia się objawów alergicznych jako „marsz alergiczny". Objawy alergii z danego narządu mogą przenosić się na inny narząd, teoretycznie zupełnie niezwiązany z narządem zaatakowanym jako pierwszy. Na przykład u dzieci, u których stwierdzono AZS i które były leczone objawowo, często ustępują objawy skórne, ale po jakimś czasie pojawiają się innego typu objawy alergiczne, takie jak astma, zapalenie zatok i uszu, ciągłe katary. Dlatego leczenie AZS powinno polegać przede wszystkim na wykluczeniu produktów alergizujących, a następnie na wzmocnieniu organizmu i układu odpornościowego. Jest to w zasadzie jedyna, całkowicie naturalna metoda zapobiegania „marszowi alergicznemu".

Choroba Duhringa

Nazywana jest też celiakią skórną. Pojawia się często w rodzinach, w których występuje także choroba trzewna. To swędząca wysypka wywołująca przymus drapania chorych miejsc. W efekcie często występują wtórne zmiany skórne, takie jak strupy, wysięki i zadrapania. Wysypka ta z reguły pojawia się na kolanach i łokciach. Zdecydowana większość osób z chorobą Duhringa nie ma jednocześnie objawów ze strony układu pokarmowego, ale są też takie, u których występują i jedne, i drugie objawy.

Chorobę leczy się tak jak celiakię – przez całkowite wyeliminowanie z diety glutenu.

PROBLEMY PSYCHICZNE

Problemy psychiczne, takie jak depresja, a tym bardziej autyzm, wciąż zbyt rzadko kojarzone są z rodzajem stosowanej diety czy spożyciem określonych pokarmów. O ile inne narządy, takie jak płuca, nos, skóra, reagują kaszlem, katarem, swędzeniem, wysypką, o tyle zaburzenia mózgu na tle toksemii są trudniejsze do wychwycenia. Osoby z nerwicą, depresją, ADHD czy schizofrenią są leczone przez psychiatrów i psychologów bez uwzględnienia możliwości udziału różnych związków chemicznych lub składników pokarmowych w wywołaniu choroby. Tymczasem wykluczenie niektórych produktów z diety może przynajmniej częściowo osłabić objawy ze strony ośrodkowego układu nerwowego i pomóc osobom chorym.

Z drugiej strony te same objawy chorobowe mogą być rezultatem alergii toczącej się w innym narządzie, na przykład w błonach śluzowych nosa. Obrzęk błony śluzowej nosa oraz wydzielina zapychająca jamy nosowe i zatoki powoduje trudności w oddychaniu, a co za tym idzie – niedotlenienie mózgu. To zaś daje takie objawy, jak zaburzenia koncentracji, trudności w uczeniu się, zmęczenie, bóle głowy. W efekcie często trudno rozpoznać, gdzie jest rzeczywista przyczyna choroby, a gdzie jej skutek. Jeżeli jednak spróbujemy diety eliminującej pewne pokarmy i nastąpi wyraźna poprawa, dowodzi to jednoznacznie, że wybrane produkty żywnościowe wpływają niekorzystnie na ośrodkowy układ nerwowy.

Zaburzenia psychiczne, w których udział mogą mieć niektóre pokarmy, to głównie: ADHD, autyzm, depresja, schizofrenia, zespół przewlekłego zmęczenia.

Zespół przewlekłego zmęczenia

„Grypa yuppie" – tak sceptycy określają często zespół przewlekłego zmęczenia. Na chorobę zapadają z reguły ludzie ambitni, wrażliwi, nerwowi, częściej kobiety niż mężczyźni. Rozmaitość objawów w przypadku zespołu przewlekłego zmęczenia powoduje, że chorzy podejrzewani są o udawanie niedyspozycji lub niechęć do pracy. Często zdarza się, że osoby z zespołem przewlekłego zmęczenia traktowane są zarówno przez rodzinę, jak i współpracowników jako hipochondrycy. Tymczasem osoby te bardzo łatwo się męczą, bolą je stawy, mięśnie, brzuch, klatka piersiowa, gardło, głowa. Często mają problemy z koncentracją i zapamiętywaniem. Są nerwowe, drażliwe, cierpią często na różne lęki i ataki paniki. Symptomów jest tak wiele, że medycyna określa tę chorobę jako zespół pewnych objawów chorobowych, a nie konkretną jednostkę. Czy odstawienie niektórych składników pokarmowych może pomóc osobom z zespołem przewlekłego zmęczenia? Jeżeli organizm całą swoją uwagę koncentruje na wrogu, którym są pewne pokarmy, to wykluczenie ich z diety zdecydowanie może przynieść złagodzenie, a nawet ustąpienie objawów. Produkty, które są źle tolerowane przez organizm, zamiast dostarczyć energii, pobudzają jedynie układ odpornościowy do produkcji przeciwciał, co powoduje, że organizm jest stale zmęczony.

Autyzm

Problem autyzmu został poruszony w filmie *Rain Man* w reżyserii Barry'ego Levinsona. Jeden z głównych bohaterów, grany znakomicie przez Dustina Hoffmana, był prawdopodobnie chory na autyzm. Jego niezwykłe uzdolnienia przeplatały się ze stanami odrętwienia i chęcią izolacji. Potrafił w ciągu kilku minut zapamiętać całe stronice tekstu, stając się za chwilę kompletnie nieporadny i zagubiony.

Są to typowe objawy zespołu autystycznego, który staje się coraz większym problemem współczesnego społeczeństwa. Został on po raz pierwszy opisany przez Leona Kannera w 1943 roku. Zaobserwował on u swoich pacjentów przede wszystkim zaburzenia zachowania, takie jak izolowanie się od otoczenia, ograniczenia mowy bądź jej brak, rutynowe powtarzanie pewnych czynności i agresja. Współcześnie mówi się bardziej o spektrum autystycznym, które obejmuje wiele dysfunkcji całego ciała, a nie jedynie zaburzenia zachowania.

Osoby z zespołem autystycznym żyją w swoim odizolowanym świecie. Wykazują zaburzenia percepcji – inaczej odczuwają dotyk, w inny sposób odbierają obrazy i dźwięki. Ich słuch jest często bardzo wrażliwy. Niejednokrotnie bardzo źle znoszą pobyt w gwarnych i ruchliwych miejscach, takich jak centra handlowe czy szkoły.

Wrażliwość dotykowa tych osób również nie funkcjonuje normalnie. Mogą być zbyt wrażliwe lub całkowicie niewrażliwe na dotyk. W przypadku nadwrażliwości reagują nerwowo, kiedy ktoś próbuje się do nich przybliżyć lub ich dotknąć. Bardzo źle znoszą też wszelkie ubrania z syntetycznych tkanin, które mogą działać drażniąco na skórę. Niewrażliwość natomiast to całkowite nieodczuwanie bólu i często samookaleczanie się.

U osób chorych na autyzm obserwuje się też różne problemy w funkcjonowaniu układu pokarmowego. Najczęściej opisywane objawy to bóle brzucha, wzdęcia, wyraźne domaganie się pewnych pokarmów (niekoniecznie zdrowych i korzystnych), częste zmiany zapalne śluzówek. Badania wykazują też zwiększoną przepuszczalność jelitową.

Można się domyślać, że skoro występują wszystkie te objawy: przepuszczalność jelitowa, niedobory enzymów i zaburzenia mikroflory jelitowej, to spożywany pokarm jest źle trawiony. Wiele badań wykazało korzystny wpływ wyeliminowania z diety niektórych pokarmów, w szczególności zaś mleka i glutenu. Naukowcy z Norwegii[8] u losowo wybranej grupy dzieci z autyzmem przeprowadzili badanie skuteczności diety bezglutenowej i bezmlecznej. Przez rok obserwowano dzieci, którym podawano pokarmy bez glutenu i mleka, oraz drugą grupę, która jadła zwykłe pokarmy. U dzieci na diecie bezglutenowej i bezmlecznej zaobserwowano pozytywne zmiany w zachowaniu. Do podobnych wniosków doszli inni badacze[9], obserwujący autystyczne dzieci z Danii. Różne wskaźniki zachowań autystycznych u badanych dzieci poprawiły się po wyeliminowaniu z diety kazeiny i glutenu. Na tej podstawie sformułowano hipotezę, że rozwój autyzmu może być związany z działaniem peptydów opioidowych pochodzących z kazeiny i pszenicy. Peptydy te to kazomorfina z mleka i gliadomorfiny z pszenicy. Mają one budowę zbliżoną do narkotyków z grupy opiatów i od dawna podejrzewa się je o nasilanie niektórych objawów autyzmu. Większa przepuszczalność jelit obserwowana u osób z autyzmem powoduje, że związki te mogą przechodzić do układu krwionośnego, a następnie przenikać barierę krew–mózg i docierać do ośrodkowego układu nerwowego, nasilając zachowania autystyczne.

Nie wszystkie badania potwierdzają skuteczność diety bezglutenowej i bezmlecznej u chorych na autyzm. Jednak biorąc pod uwagę, że u wielu autystów działa ona korzystnie, zaleca się jej wprowadzenie i określenie ewentualnych pozytywnych zmian w zachowaniu osób chorych. Dieta oczywiście nie leczy autyzmu, ale pomaga w złagodzeniu jego objawów.

Podobne postępowanie zaleca się też w przypadku schizofrenii.

Zespół nadpobudliwości ruchowej z deficytem uwagi (ADHD)

Wierci się, jakby siedziało na mrowisku, nie słucha, kiedy się do niego mówi, mówi, kiedy nie jest o to proszone, robi kilka rzeczy naraz, ale żadnej nie kończy – tak w skrócie można by opisać dziecko z zespołem nadpobudliwości ruchowej z deficytem uwagi. Dzieci ze stwierdzonym ADHD w pierwszym roku życia często mają nieskoordynowane ruchy, machają rękoma i nogami. Starsze dzieci są nadmiernie pobudzone i ruchliwe. Mają również problemy ze skoncentrowaniem się na wykonywaniu jednej czynności, przeskakując z jednego zajęcia do drugiego. W szkole nie potrafią dostosować się do grupy, są często agresywne, przeszkadzają innym. Wraz z wiekiem objawy ADHD mogą się zmieniać. Dorośli z ADHD mają ciągłą potrzebę robienia czegoś, są bardzo gadatliwi, zachowują się nerwowo.

Aczkolwiek wpływ diety na przebieg ADHD jest nadal dyskutowany, wielu rodziców i terapeutów zajmujących się nadpobudliwymi dziećmi zauważa poprawę w ich zachowaniu po odstawieniu żywności wysokoprzetworzonej oraz niektórych składników alergizujących. Wpływ diety na przebieg ADHD potwierdziły też badania, których wyniki zamieszczono w czasopiśmie „Lancet”[10] w 2011 roku. Badanie przeprowadzono u stu dzieci z ADHD w wieku 4–8 lat, które podzielono na dwie grupy. Pierwsza grupa stosowała zwykłą dietą, a druga ścisłą dietę eliminacyjną. Dzieci z drugiej grupy jadły głównie ryż, warzywa, owoce, białe mięso. W pierwszej fazie diety u dzieci z grupy eliminacyjnej stwierdzono bardzo istotną poprawę, jeżeli chodzi o złagodzenie objawów ADHD. Następnie ponownie wprowadzono alergizujące pokarmy do diety dzieci. Skutkiem tego był nawrót dawnych objawów u 63% badanych. Na podstawie tych wyników autorzy doszli do wniosku, że ścisła dieta eliminacyjna pomaga w likwidowaniu objawów ADHD i powinna być jednym z elementów leczenia.

INNE CHOROBY

Otyłość, nadwaga, cellulit, niedowaga

Dieta białkowa czy cudowne preparaty leczące otyłość? Jeżeli nadwaga jest trudna do leczenia i uporczywa, dobrze jest rozważyć odstawienie niektórych pokarmów w leczeniu choroby. Wykluczenie wybranych produktów bez zmniejszenia kaloryczności diety może przynieść zdumiewające efekty, jeżeli chodzi o nadwagę, otyłość i cellulit. Wielu terapeutów, którzy zajmują się wykonywaniem testów alergicznych i eliminowaniem z diety chorych tych pokarmów, które powodują wzrost ilości swoistych przeciwciał, zauważa, że odstawienie uczulających pokarmów przynosi efekt nie tylko, jeżeli chodzi o objawy typowo alergiczne, takie jak wysypki czy katar, lecz także wyraźny spadek masy ciała i zmniejszenie tkanki tłuszczowej u chorych. Metoda eliminowania z diety produktów, które wyraźnie zwiększają ilość przeciwciał we krwi, jest stosowana w coraz większej liczbie poradni odchudzających i co ciekawe z pozytywnym skutkiem. Zwłaszcza zaskakujący rezultat daje u niektórych osób odstawienie pszenicy i mleka.

Jeżeli przeanalizujemy na przykład osoby z celiakią, które odstawiają w diecie gluten, zauważymy, że ma to bardzo istotny wpływ również na masę ciała. Wiele osób z celiakią za względu na wyniszczający przebieg tej choroby ma mniejszą masę ciała, niż przewidują normy. Po wykluczeniu z diety glutenu osoby te z reguły przybierają na wadze. Natomiast, o dziwo, coraz częściej obserwuje się u chorych z celiakią nadwagę. Na Uniwersytecie Kolumbia przeprowadzono badania[11] zmierzające do ustalenia, jaki efekt, jeżeli chodzi o masę ciała, przyniesie wykluczenie z diety glutenu u osób chorych na celiakię. Przeanalizowano 369 osób z celiakią, z których 15,2% miało nadwagę, a 6,8% cierpiało na otyłość. Po usunięciu z diety glutenu i przejściu pod okiem dietetyka na dietę bezglutenową u 54% osób z nadwagą oraz u 47% osób otyłych wystąpił wyraźny spadek masy ciała, średnio o 11,8 kilograma!

Wyniki podobnego badania[12] przeprowadzonego przez naukowców z Finlandii i opublikowanego w 2012 roku okazały się zbliżone. Tym razem przebadano 698 osób z nowo zdiagnozowaną celiakią. Wśród nich 28% miało nadwagę, a 11% było otyłych. Osobom tym zalecono dietę bezglutenową, którą stosowały przez okres roku. Następnie badanych ponownie zważono i okazało się, że spadek masy ciała wystąpił u 18% z osób z nadwagą oraz aż u 42% u osób z otyłością.

Znane są też przykłady, kiedy[13] po uzyskaniu dodatnich wyników testów alergicznych na niektóre pokarmy, a następnie wyeliminowaniu ich z diety, następuje znaczne zmniejszenie masy ciała. Opisano przypadek mężczyzny z olbrzymią nadwagą. Testy na nadwrażliwość pokarmową wykazały szkodliwe działanie mleka krowiego i paru innych pokarmów. Po wyeliminowaniu ich z diety mężczyzna szybko stracił na wadze kilkanaście kilogramów. Ponowne wprowadzenie mleka spowodowało przytycie, a jego wykluczenie ponowne schudnięcie.

W zasadzie nie wiadomo do końca, co powoduje tak znaczny spadek masy ciała po wyeliminowaniu z jadłospisu niektórych produktów. Jedna z hipotez jest taka, że produkty uczulające powodują powstawanie procesu zapalnego w tkance podskórnej i przez to doprowadzają do chorobliwej otyłości.

Niektóre pokarmy są poza tym źródłem egzorfin. Są to związki chemiczne podobne do endorfin, wytwarzanych przez ustrój człowieka. Endorfiny to grupa hormonów peptydowych, które wywołują wspaniałe samopoczucie i stany radości. Stąd nazywane są często „hormonami szczęścia". Organizm wytwarza je w różnych sytuacjach. Wzrost stężenia endorfin towarzyszy wysiłkowi fizycznemu, na przykład bieganiu, skakaniu, jeździe na rowerze czy tańczeniu. Wytwarzane są również, gdy się śmiejemy lub gdy uprawiamy seks.

Pewne związki pochodzenia zewnętrznego mają tak podobną budowę, że mogą działać podobnie jak endorfiny. Ponieważ związki te pochodzą z zewnątrz, nazwano je egzorfinami. Są to na przykład beta-kazomorfina z kazeiny mleka krowiego czy gliadomorfiny z glutenu. Egzorfiny, podobnie jak endorfiny, mogą łączyć się z receptorami opioidowymi w mózgu. Wywołują w ten sposób efekt podobny do działania endorfin: uczucie zadowolenia, przyjemności, błogości i ekstazy. Po spożyciu niektórych produktów żywnościowych dostarczamy więc sobie egzorfinowej przyjemności. Dzieje się tak na przykład po spożyciu pszenicy czy mleka. A im więcej jemy tych produktów, tym większa na nie ochota. Zaczynamy kojarzyć uczucie przyjemności ze spożywaniem określonych pokarmów i w ten sposób jemy więcej, niż wynosi zapotrzebowanie i realny apetyt. Dlatego osoby odstawiające mleko i gluten zaczynają jeść po prostu mniej.

Reumatoidalne zapalenie stawów (RZS)

Charakterystycznymi objawami reumatoidalnego zapalenia stawów są: ból, sztywność oraz obrzęk stawów. Istotą choroby jest proces zapalny rozpoczynający się wewnątrz stawu, dotyczący z reguły stawów rąk i stóp, ale w miarę postępowania choroby może objąć też inne stawy, na przykład kolanowe.

O leczeniu dietetycznym słyszymy z reguły w związku z chorobami serca lub z obniżaniem za pomocą diety stężenia cholesterolu. Rzadko wiąże się z dietą choroby typu zapalnego, takie jak reumatoidalne zapalenie stawów. Tymczasem zaobserwowano, że poszczenie, czyli powstrzymywanie się od posiłków, wyraźnie zmniejsza stan zapalny w stawach i pozwala na ich regenerację. Dowodzi to, że pokarmy mogą wpływać na powstawanie i zaostrzenie choroby. Kolejne pytanie może zatem brzmieć: Jakie to pokarmy? Wiele badań wykazało, że dieta obfitująca w mięso oraz tłuszcze zwierzęce bardzo wzmaga stan zapalny. Mięso i białko pochodzenia zwierzęcego są inhibitorem wapnia, a przy wszelkich chorobach immunologicznych i alergicznych obserwuje się zaburzony poziom tego pierwiastka. Spożycie nadmiernych ilości białek pochodzenia zwierzęcego będzie więc dodatkowo pogłębiać niedobór wapnia. Warzywa i owoce są natomiast bardzo bogatym źródłem substancji przeciwzapalnych i antyoksydacyjnych zmniejszających stan zapalny. Przykłady tych substancji to witamina A, witamina C, witamina E, selen, cynk, flawonoidy czy karotenoidy. Stosowanie diety bogatej w warzywa, owoce, nasiona, pestki, rośliny strączkowe już w ciągu kilku tygodni przynosi poprawę, jeżeli chodzi o zapalenie stawów.

Procesy alergiczne mają często swój udział w reumatoidalnym zapaleniu stawów. U chorych na RZS stwierdza się większą przepuszczalność jelitową niż u reszty populacji. Przy nieszczelnym jelicie do krwiobiegu mogą przenikać różne antygeny pokarmowe, które następnie są rozpoznawane przez układ immunologiczny jako wróg. W reakcji układ odpornościowy wywołuje stan zapalny. Wykluczenie alergogennych pokarmów z jadłospisu będzie więc jednym z najważniejszych punktów leczenia RZS za pomocą diety. Przede wszystkim trzeba zwrócić uwagę na mleko i pszenicę, a także na kukurydzę lub ewentualne inne potencjalne alergeny.

Wiele badań potwierdza, że dieta wegańska znacznie zmniejsza lub likwiduje objawy reumatoidalnego zapalenia stawów. Najbardziej restrykcyjną dietą, którą zajęli się naukowcy, była dieta wegańska bezglutenowa (z wykluczeniem pszenicy, żyta, owsa i jęczmienia oraz ich pochodnych). Naukowcy ze Skandynawii[14] przeprowadzili badania na grupie 66 osób z reumatoidalnym zapaleniem stawów. w trakcie badania 28 osób odżywiało się zwyczajnie, a 38 stosowało dietę wegańską bezglutenową. Z tej liczby badanych zasad diety przestrzegały 22 osoby z grupy wegańskiej i 25 osób z grupy niewegańskiej. W końcowych wynikach wzięto więc pod uwagę tylko osoby przestrzegające diety. Zastosowano kryteria klasyfikacyjne chorób reumatycznych zatwierdzone przez American College of Rheumatology. Dowiedziono, że 40,5% (9 osób) pacjentów stosujących przez 9 miesięcy dietę wegańską bezglutenową wykazało poprawę w porównaniu z 4% (1 osoba) z grupy kontrolnej. Z kolei inne badanie[15] wykazało dużą poprawę u 44% osób z reumatoidalnym zapaleniem stawów stosujących przez ponad rok dietę wegańską, a następnie laktowegetariańską w stosunku do 8% z grupy kontrolnej. Wyniki tych badań wskazują na wyraźną zależność między chorobami reumatologicznymi a dietą.

Biorąc pod uwagę, że w leczeniu reumatoidalnego zapalenia stawów wyraźne zmniejszenie stanu zapalnego uzyskuje się, stosując bogatoresztkową dietę obfitującą w substancje przeciwzapalne oraz unikając najczęstszych alergenów, najkorzystniejszą dietą jest dieta głównie roślinna, często dodatkowo z wykluczeniem pszenicy lub glutenu. Bardzo korzystny wpływ na zmniejszenie obrzęku stawów i bólu mają natomiast kwasy z rodziny omega-3. Kwasy te można czerpać z niektórych nasion, orzechów i pestek, spośród których ich imponującą zawartością odznacza się siemię lniane. Znajdziemy je również w rybach, szczególnie takich jak łosoś, sardela, sardynki, makrela, pstrąg.

Toczeń

Toczeń to jedna z chorób autoimmunologicznych charakteryzująca się bardzo zróżnicowanym przebiegiem. Amerykańskie Towarzystwo Reumatologiczne wyróżnia jedenaście kryteriów klasyfikacyjnych tocznia, z których o jego pewnym rozpoznaniu decydują przynajmniej cztery. Jednym z objawów są zmiany skórne, które na twarzy przyjmują charakterystyczny kształt motyla. Często jednocześnie pojawiają się zapalenia i bóle stawów. W miarę rozwoju choroby może dochodzić do zmian w różnych innych narządach, takich jak zapalenie opłucnej, białkomocz, zaburzenia neuropsychiczne. Choroba może w zasadzie atakować całe ciało. Dieta znacznie łagodzi jej objawy lub nawet prowadzi do ich ustąpienia. Opisane zostały ciekawe przypadki tocznia[16] i efekty ich leczenia za pomocą diety. Kobieta ze zdiagnozowanym toczniem cierpiała na uporczywe zmiany skórne i bóle ciała. Brała różne leki w dużych dawkach. Leczenie farmakologiczne nie przynosiło pożądanych efektów. Chora postanowiła spróbować diety zawierającej zmiksowane sałatki, zupy z cebulą i grzybami, warzywa krzyżowe, jednocześnie z dużą ilością owoców jagodowych. Prócz tego zastosowano trzy odżywcze suplementy. Po kilku dniach od rozpoczęcia diety organizm zaczął się oczyszczać. Po miesiącu stosowania diety wysypka ustąpiła, a kobieta poczuła się jak nowo narodzona.

Moje spostrzeżenia są podobne. W przypadku wielu chorób autoimmunologicznych, w tym tocznia, odżywianie odgrywa ogromną rolę. Nawet jeżeli nie przynosi spektakularnych efektów, to z całą pewnością poprawia ogólny stan chorego. Wprowadzenie do diety przede wszystkim różnych warzyw i owoców we wszystkich kolorach tęczy, roślin strączkowych oraz różnych ziaren dostarcza tak dużych ilości antyoksydantów, substancji biorących udział w różnych procesach biochemicznych organizmu, że układ odpornościowy zaczyna działać sprawniej. Pszenica i mleko są natomiast silnymi alergenami i powodują naruszenie równowagi układu odpornościowego. Podobnie zresztą jak żywność wysokoprzetworzona, fast food, dodatki chemiczne do żywności, cukier.

Rozdział 6

MLEKO

Mleko jest pierwszym pokarmem człowieka – jego skład jest tak precyzyjnie dostosowany do potrzeb noworodka i niemowlęcia, że przez pierwszych pięć, sześć miesięcy życia wystarcza mu jako jedyny pokarm. Nie tylko człowiek, lecz także wszystkie ssaki są po urodzeniu karmione mlekiem matki. Skład mleka u poszczególnych ssaków różni się znacząco. Dlatego mleko krowy jest idealne dla cieląt, mleko kozy dla koźląt, a mleko ludzkie dla ludzkiego noworodka.

Mleko krowie, przystosowane do karmienia cieląt, zawiera cztery razy więcej wapnia niż mleko ludzkie. W mleku krowim znajduje się około 118 mg wapnia na 100 g mleka, natomiast w mleku ludzkim 34 mg wapnia na 100 g mleka. Ta znaczna różnica w zawartości wapnia jest związana z tym, że cielęta rosną bardzo szybko w porównaniu z noworodkiem ludzkim, muszą zbudować mocne kopyta i kości. Człowiek natomiast również rośnie i również potrzebuje wapnia, ale w znacznie mniejszych ilościach. Ogólnie zawartość mikro- i makroelementów w mleku ludzkim jest 3–4-krotnie mniejsza niż w mleku krowim: mleko krowie zawiera pięć razy więcej fosforu i trzy razy więcej sodu. Są to proporcje nieodpowiednie dla człowieka, gdyż zaburzają całą gospodarkę mineralną organizmu, obciążając przy tym nerki.

Ilość tłuszczu w mleku kobiecym i krowim jest zbliżona, jednak różni się składem. Większa w mleku kobiecym niż krowim jest zawartość nienasyconych kwasów tłuszczowych. Są one łatwo przyswajalne i pełnią funkcję w dojrzewaniu mózgu i układu nerwowego dziecka, wpływając też na jego rozwój intelektualny.

Pokarm kobiecy to także bogate źródło różnych hormonów i enzymów dostosowanych do potrzeb noworodka. Osobny problem to białka występujące w mleku krowim. Jest ich trzy razy więcej niż w mleku kobiecym, a wiele z nich jest bardzo źle tolerowanych przez ustrój ludzki, wywołując różnego rodzaju alergie.

Alergie na mleko

Na alergenny potencjał mleka zwracał uwagę już Hipokrates. Jednak eksplozja bomby, jaką są alergie na mleko, nastąpiła dopiero po wprowadzeniu na dużą skalę mlecznych odżywek dla niemowląt.

Mleko krowie zawiera około trzydziestu białek[17], z których każde może dawać odczyny alergiczne. Główną rolę w powstawaniu alergii przypisuje się jednak tylko czterem frakcjom: kazeinie, alfa-laktoglobulinie, beta-laktoglobulinie i albuminie.

Kazeina

W 100 ml mleka krowiego znajduje się około 2,8 g kazeiny. Kazeina jest białkiem potrzebnym cielętom do uzyskania w krótkim czasie dużego przyrostu masy ciała, do rozwoju kopyt. W krowim mleku jest więc około siedmiokrotnie więcej kazeiny niż w mleku kobiecym.

Kazeina jest frakcją białkową mleka odporną na działanie wysokich temperatur. Z tego względu nawet produkty poddane obróbce termicznej, takie jak sery żółte czy twarogi, nadal mają potencjał alergizujący. W serach i innych wyrobach mlecznych poddanych pasteryzacji alergizuje głównie kazeina.

Alfa-laktoglobulina

W 100 ml mleka krowiego znajduje się około 70 mg alfa-laktoglobuliny. Uczula ona około 50% chorych z rozpoznaną alergią na mleko krowie.

Beta-laktoglobulina

W 100 ml mleka krowiego znajduje się około 420 mg beta-laktoglobuliny. Jest to frakcja białkowa niewystępująca w mleku kobiecym, dlatego bardzo często wywołuje uczulenia. Uczula ona około 80% chorych z rozpoznaną alergią na mleko krowie.

Wysoka temperatura niszczy strukturę zarówno beta-, jak i alfa-laktoglobuliny. Dlatego przegotowane mleko ma mniej alergizujący potencjał niż mleko surowe. Nie oznacza to jednak, że w ogóle go nie ma.

Albumina surowicy bydlęcej

W 100 ml mleka krowiego znajduje się około 20 mg albuminy. Uczula ona około 50% chorych z rozpoznaną alergią na mleko krowie.

Reakcje układu odpornościowego na spożywane mleko mogą być związane z różnorodnymi mechanizmami, zarówno zależnymi, jak i niezależnymi od IgE.

Nietolerancja laktozy

Często kilkuletnie dzieci bardzo nie lubią mleka. Rodzice zmuszają malucha do zupki mlecznej z zacierkami lub płatków z mlekiem, a on reaguje spazmami i płaczem. Okazuje się, że instynktowna niechęć do mleka może być jak najbardziej uzasadniona, gdyż spora część populacji nie trawi (lub nie do końca trawi) zawartego w mleku cukru mlecznego – laktozy. Za trawienie dwucukru laktozy odpowiedzialny jest enzym laktaza, który rozkłada ją do jednocukrów: galaktozy i glukozy. Problem ten określa się jako nietolerancję laktozy. Cukier ten jest dobrze trawiony przez niemowlęta (z bardzo małymi wyjątkami), które w naturalny sposób są przystosowane do picia mleka matki.

Przed ukończeniem drugiego roku życia, kiedy dziecko przestawia się na odżywianie zbliżone do odżywiania dorosłych, u wielu dzieci enzym ten zanika całkowicie. Jeżeli w organizmie nie ma laktazy, laktoza nie może być trawiona i po spożyciu mleka lub produktów, które je zawierają, dochodzi do różnych reakcji ze strony układu pokarmowego. Objawami nietolerancji laktozy są: mdłości, wzdęcia, gazy, biegunki, bulgotanie w brzuchu. Dodatkowo zaleganie niestrawionej laktozy powoduje namnażanie się patogennej mikroflory jelitowej i wtórne uszkodzenia ścian jelit.

Skąd czerpać wapń?

Osteoporoza, czyli rzeszotowienie kości, uznawana jest za wskaźnik niedoboru wapnia w organizmie. Kości, żeby rosły u noworodka i dziecka, a potem utrzymywały odpowiednią strukturę u dorosłego, potrzebują wapnia oraz innych mikroelementów, witamin i związków. Wapń jest niezbędny nie tylko do budowy kości. Ten bardzo ważny pierwiastek bierze udział w wielu przemianach biochemicznych zachodzących w organizmie.

Na potrzeby różnych przebiegających w organizmie procesów wapń jest pobierany z dwóch podstawowych źródeł: z pożywienia i z kości. Jeżeli w pokarmie zabraknie wapnia, to organizm pobiera ten pierwiastek z kości, żeby utrzymać jego odpowiedni poziom we krwi oraz zapewnić ciągłość procesów biochemicznych.

Badania przeprowadzone przez T.C. Campbella w ramach tzw. Projektu chińskiego[18] wykazały, że w wiejskich rejonach Chin, gdzie spożywa się białko zwierzęce (w tym mleko zwierzęce) niezwykle rzadko i stanowi ono jedynie około 10% całkowitego spożycia białka, złamania występują pięć razy rzadziej niż w Stanach Zjednoczonych, gdzie spożywa się dużo białek pochodzenia zwierzęcego, w tym mleka i mięsa. Świadczy to o tym, że mleko – chociaż zawiera wapń – nie jest jego łatwo przyswajalnym źródłem dla organizmu ludzkiego.

W przyrodzie ożywionej poszczególne minerały nie występują w postaci wyizolowanej, lecz w postaci kompleksów. Kompleksy te są łatwo wchłaniane, gdyż poszczególne mikroelementy potrzebują współpracy innych mikroelementów, witamin czy wybranych związków, by organizm mógł je w pełni przyswoić. Wapń zawarty w roślinach występuje często w towarzystwie magnezu, chlorofilu, witaminy A czy C (np. w brokułach i kapuście) – związki te jednocześnie zwiększają jego wchłanianie.

Wiele roślin obfituje w wapń i przy odpowiednim odżywaniu oraz trybie życia, stosując roślinną lub głównie roślinną dietę, dostarczymy organizmowi tyle wapnia, ile potrzebuje. W tabeli 1 przedstawiam zawartość wapnia w niektórych produktach spożywczych pochodzenia roślinnego. Zwraca uwagę bardzo wysoka zawartość tego pierwiastka w glonach, ale ponieważ nie należy jeść zbyt dużych ilości glonów, nie będą one głównym źródłem wapnia w codziennej diecie. Mogą za to być jego dobrym uzupełnieniem. Podobnie zresztą jak niektóre orzechy i pestki (100 g sezamu – 975 mg wapnia, migdałów – 239 mg wapnia). Natomiast inne grupy produktów, które zaleca się spożywać codziennie, takie jak warzywa, rośliny strączkowe (np. fasola biała, groch), niektóre zboża, stanowią doskonałe źródło łatwo przyswajalnego wapnia. Dla przykładu: 100 g tofu zawiera ponad 200 mg wapnia, 100 g białej kapusty to 67 mg wapnia.

Tab. 1. Zawartość wapnia w wybranych produktach spożywczych w mg/100 g produktu

Produkt	Zawartość wapnia
Glon hijiki	1400
Glon wakame	1300
Glon kombu	800
Sezam	975
Migdały	239
Amarantus	222
Nać pietruszki	193
Orzechy laskowe	186
Nasiona słonecznika	174
Fasola biała (nasiona suche)	163
Jarmuż	157
Komosa ryżowa (quinoa)	141
Tofu	220*
Mleko sojowe	120*
Orzechy włoskie	99
Boćwina	97
Szpinak	93
Kapusta biała	67
Fasola szparagowa	65
Dynia	66
Brokuły	48
Por	48
Maliny	35

Źródło: H. Kunachowicz et al., *Tabele składu i wartości odżywczej żywności*, Wyd. Lekarskie PZWL, Warszawa 2005; w wypadku glonów, mleka sojowego i tofu informacje uzyskane od producenta.

* W wypadku tofu i mleka sojowego zawartość wapnia może się nieco różnić w zależności od producenta. W tabeli podane są wartości średnie.

Samo to, że dostarczamy wapnia w diecie, nie wystarcza jednak, żeby został on wykorzystany przez organizm. Wiele różnych czynników ma wpływ na jego wchłanianie, wydalanie i procesy biochemiczne, w których bierze udział.

Witamina D

Słoneczna witamina – tak można nazwać witaminę D, która wytwarzana jest w skórze pod wpływem światła słonecznego. Odgrywa ona bardzo istotną rolę w metabolizmie wchłaniania wapnia. Witamina ta powstaje w skórze pod wpływem zawartego w widmie słonecznym promieniowania w wyniku przekształcenia zawartego w skórze 7-dehydrocholesterolu. Powstała witamina D ulega następnie przemianie w wątrobie i w nerkach do kalcytriolu. Siedzący tryb życia z małą ilością światła słonecznego nie sprzyja jej wytwarzaniu. Dlatego na niedobory witaminy D wskutek ciągłego przebywania w zamkniętych pomieszczeniach cierpi współcześnie wiele osób. Korzystanie ze słońca jest najlepszym sposobem na dostarczanie odpowiednich ilości witaminy D!

Magnez

Oprócz witaminy D to magnez jest jednym z istotniejszych żywieniowych czynników wchłaniania wapnia. Magnez znajdziemy w wielu produktach roślinnych, takich jak glony, rośliny strączkowe: soja, fasole, groch; zboża: kasza gryczana, kasza jaglana, ryż pełnoziarnisty, kukurydza. Bogatym źródłem magnezu są też orzechy, nasiona i pestki. Nasiona słonecznika zawierają go 359 mg na 100 g, a pestki dyni aż 540 mg na 100 g. Wszystkie warzywa liściaste są dobrym źródłem magnezu. Bardzo dużą zawartością tego pierwiastka charakteryzuje się także kakao, ale ponieważ spożywane jest jedynie w niedużych ilościach, nie będzie w pełni zaspokajało zapotrzebowania na magnez tak jak inne często zjadane pokarmy (warzywa, zboża, rośliny strączkowe).

Tab. 2. Zawartość magnezu w wybranych produktach spożywczych w mg/100 g produktu

Produkt	Zawartość magnezu
Soja (nasiona suche)	216
Fasola biała (nasiona suche)	169
Groch (nasiona suche)	124
Soczewica czerwona (nasiona suche)	71
Kakao	420
Pestki dyni	540
Nasiona słonecznika	359
Siemię lniane	291
Migdały	269
Orzechy laskowe	140
Orzechy włoskie	90
Kasza gryczana	218
Ryż pełnoziarnisty	110
Kasza jaglana	100
Nać pietruszki	69
Szpinak	53
Boćwina	43

Źródło: H. Kunachowicz et al., *Tabele składu i wartości odżywczej żywności, op. cit.*

Krzem, witamina C, chlorofil

Inne mikroelementy niezbędne w procesie przyswajania wapnia to krzem, witaminy A i C, chlorofil oraz prawdopodobnie jeszcze inne związki, niekoniecznie odkryte przez naukę. Wszystkie te składniki znajdziemy w nieprzetworzonych pokarmach roślinnych.

Ruszaj się, by mieć zdrowe kości

Przyroda zadziwia czasami swoimi zdolnościami przystosowawczymi. Niećwiczone mięśnie wiotczeją i stają się coraz słabsze. Wiedzą o tym tłumy osób ćwiczących wytrwale każdego dnia na siłowniach i w klubach fitness. Bez treningu nie ma mocnych mięśni i olśniewającego wyglądu. Podobnie do mięśni zachowują się kości człowieka, przystosowując się do funkcji, które muszą pełnić. Badania wykazują, że ruch jest niezmiernie istotnym elementem ich dużej gęstości i odporności na urazy. Niezależnie od diety obserwuje się spadek gęstości kości u osób, które z różnych przyczyn muszą leżeć unieruchomione w łóżku. Innymi słowy – im więcej ruchu, tym mocniejsze kości.

Co hamuje wchłanianie wapnia

Przyswajanie wapnia jest hamowane przez takie pozażywieniowe czynniki, jak palenie tytoniu, oddychanie zanieczyszczonym powietrzem, brak ruchu. Co ciekawe, czynniki te są związane nie tylko z utrzymywaniem odpowiedniego poziomu wapnia, lecz także ogólnie z dbałością o organizm.

Z przyczyn żywieniowych zwiększonego wydalania wapnia trzeba przede wszystkim wymienić nadmierne spożycie białka pochodzenia zwierzęcego. Białko to zawiera dużo aminokwasów siarkowych, przez co zwiększa ilość kwasów w organizmie. Do optymalnego funkcjonowania organizm potrzebuje określonej kwasowości i jeżeli jest ona zbyt duża, zaczyna regulować jej poziom przez neutralizowanie kwasów. Bardzo dobrze nadaje się do tego wapń, który ma zdolność wiązania kwasów. W sytuacji dużego zakwaszenia organizmu wapń pobierany jest więc z kości, które ulegają w ten sposób demineralizacji.

Wraz ze wzrostem w diecie ilości białka pochodzenia zwierzęcego rośnie ilość wapnia wydalanego z moczem.

Nieprzetworzone produkty roślinne są najzdrowsze dla kości

Jak się zatem odżywiać, by mieć mocne zęby i kości? Wiele badań potwierdza, że wegetarianie mają mocniejsze zęby i kości od mięsożerców, zwłaszcza od osób, które jedzą produkty pochodzenia zwierzęcego codziennie. Kiedy przeanalizujemy zawartość wapnia, magnezu, krzemu, witaminy C i innych niezbędnych do wchłaniania wapnia składników pokarmowych, obraz staje się jasny i wynika z niego, że spożywając różnorodne produkty z różnych grup roślinnej żywności, zapewnimy sobie najlepszy materiał budulcowy dla kości.

Aby maksymalnie wykorzystać spożywany z pokarmem wapń, trzeba:

- Zapewniać sobie codzienną dawkę ruchu. Wiele badań wskazuje, że aktywność fizyczna zwiększa wchłanianie wapnia z układu pokarmowego i jest ona jednym z fundamentów utrzymania zdrowia kości.
- Dostarczać odpowiednią ilość witaminy D. Przy zbyt małej ilości witaminy D w organizmie wapń nie jest całkowicie wchłaniany z pożywienia w jelicie cienkim. Niedobór witaminy D powoduje demineralizację kości – stają się słabe i zmniejsza się ich gęstość. W produktach spożywczych witamina D występuje w niewielkich ilościach, natomiast czerpana jest głównie z syntezy skórnej. Trzeba przebywać na świeżym powietrzu, przynajmniej częściowo odsłaniając skórę w chłodniejszych porach roku, a w cieplejszych miesiącach korzystać z kąpieli słonecznych. Zimą można przyjmować witaminę D w postaci suplementów.
- Jeść różnorodne pokarmy bogate nie tylko w wapń, lecz także w magnez, krzem, witaminy C i A, chlorofil. Różnorodne pokarmy roślinne, w szczególności warzywa, w tym warzywa liściaste (chlorofil), strączkowe, ziarna zbóż, owoce, orzechy i nasiona są obfitym źródłem tych składników.

Co hamuje wchłanianie wapnia:

- Mięso jest inhibitorem wapnia, zakwasza organizm i doprowadza do demineralizacji kości. Jedzmy mięso w ilościach umiarkowanych.
- Cukier rafinowany jest bardzo istotnym składnikiem diety wiążącym wapń. Nie zawiera on jako substancji towarzyszących mikro- czy makroelementów, witamin ani innych

składników odżywczych występujących we wszystkich naturalnych produktach o smaku słodkim, takich jak owoce czy słodkie warzywa (np. marchew, buraki). W związku z tym muszą być one pobierane z narządów, między innymi wapń z kości i zębów. W ten sposób struktura mineralna kości i zębów zostaje osłabiona.

- Kofeina i inne substancje kofeinopodobne, takie jak teofilina (w herbacie) czy teobromina (w kakao). Związki te znajdziemy w kawie, kakao, czekoladzie, herbacie, napojach typu cola, napojach energetyzujących.
- Palenie papierosów znacznie upośledza procesy wchłaniania składników mineralnych, w tym wapnia.
- Alkohol powoduje zwiększone wydalanie wapnia z moczem. Przeprowadzone w Polsce badania[19], które badały wpływ kawy, tytoniu oraz alkoholu na wydalanie wapnia z moczem, wykazały, że wszystkie te substancje zwiększają jego wydalanie.
- Stresujący tryb życia.

Rozdział 7

GLUTEN

Kiedy zajrzymy do słownika języka łacińskiego w celu przetłumaczenia wyrazu „klej" – pojawi się wyrażenie „gluten". Słowem tym określa się współcześnie białko występujące w niektórych zbożach, które może powodować wiele spustoszeń w ludzkim organizmie. Dlaczego więc nazwano je łacińskim terminem oznaczającym klej? Duża ilość glutenu występuje w mące pszennej. Jeżeli w odpowiednich proporcjach zmieszamy mąkę pszenną i wodę, to otrzymamy sprężyste, dające się lepić ciasto. Będzie ono miało charakterystyczne właściwości nieporównywalne z ciastem z innych rodzajów mąki, takich jak mąka gryczana czy ryżowa. Uzyskamy mianowicie masę o charakterystycznej ciągliwej strukturze, której można nadać określony kształt. Tę ciągliwą i kleistą strukturę ciasto z mąki pszennej zawdzięcza właśnie glutenowi.

Gluten to białko roślinne, które występuje nie tylko w ziarnie pszenicy, lecz także jęczmienia, żyta, owsa i ich pochodnych. Głównym źródłem glutenu we współczesnej diecie jest jednak pszenica.

Gluten nie jest nazwą jednego wyodrębnionego związku chemicznego, ale kilku związków o określonym działaniu i właściwościach, które dla uproszczenia określa się wspólną nazwą. Tę wspólną nazwę glutenu noszą zawarte w niektórych zbożach białka:

- w pszenicy – gliadyna,
- w życie – sekalina,

- w jęczmieniu – hordelina,
- w owsie – awenina.

Białko nazywane glutenem ma wiele właściwości przydatnych w przemyśle spożywczym. Pochłania duże ilości wody, dzięki czemu mąka, w której skład wchodzi gluten, po wymieszaniu z wodą tworzy kleistą i ciągliwą masę. Masę tę można łatwo formować w różne kształty, co jest korzystne szczególnie w piekarnictwie. Różnorodność kształtów bułek, bajgli, kajzerek, bagietek, rogali i innych dzieł sztuki piekarniczej jest doprawdy imponująca. Gluten bardzo dobrze utrzymuje dwutlenek węgla, powstający podczas fermentacji drożdżowej, dzięki czemu w procesie pieczenia ciasto wyrasta, a po upieczeniu jest pulchne. Gluten nadaje ciastu sprężystość. Chleb upieczony z niezawierającej glutenu mąki ryżowej czy gryczanej nie wyrośnie nam tak jak chleb pszenny czy żytni. Będzie też bardziej „gliniasty".

Gluten a zdrowie

Osoby cierpiące na dolegliwości skórne, reumatyzm czy depresję rzadko winią za swój stan codzienną porcję chleba i płatków śniadaniowych. Przecież nietolerancja glutenu, zwana celiakią, to sporadycznie występująca choroba, dotykająca jedną osobę na sto. Celiakia jest rzeczywiście najbardziej znaną formą nietolerancji glutenu, którą opisuję w rozdziale „Wybrane choroby o podłożu alergicznym i autoimmunologicznym lub takie, na które mają wpływ spożywane pokarmy". Znacznie częściej jednak występują inne postacie nietolerancji zawartego w niektórych zbożach glutenu, takie jak alergia na gluten zależna od IgE oraz nietolerancja glutenu.

Celiakia i alergia na gluten to dwa różne schorzenia. W przypadku celiakii stwierdza się we krwi serologiczne markery na gluten, a dodatkowo można wykonać biopsję jelit lub badania genetyczne, które potwierdzą badanie. Z kolei przy alergii lub nietolerancji na gluten na podstawie badań diagnostycznych wyklucza się celiakię, jednak spożycie glutenu powoduje niepożądane objawy.

Choroby alergiczne przewodu pokarmowego, choroby alergiczne skóry, choroby alergiczne układu oddechowego, alergiczne zapalenie spojówek czy nawet wstrząs anafilaktyczny mogą być objawami alergii na gluten zależnej od przeciwciał IgE.

Ze względu na częstość wywoływania alergii u osób wrażliwych na zboża zawierające gluten najbardziej toksyczna jest pszenica, potem żyto, jęczmień i owies. Procesy technologicznej obróbki tych zbóż nie likwidują, niestety, niekorzystnego działania glutenu na chorych.

Dlaczego zatem gluten, będący zwykłym roślinnym białkiem, powoduje tak wiele problemów zdrowotnych?

Rozdział 8

PSZENICA

Głównym źródłem glutenu we współczesnej diecie jest pszenica, a jednocześnie gluten pszenny działa najbardziej toksycznie ze wszystkich rodzajów glutenu zawartych w innych zbożach. Współczesna pszenica nie jest już tym zbożem, z którego wypiekali przaśne placki nasi pradziadowie. Przez wiele stuleci i pokoleń została dostosowana do potrzeb człowieka przez różne zabiegi agrotechniczne. Na skutek tych zabiegów powstały nowe białka, które organizm wielu osób będzie traktował jak wroga, wywołując przez to reakcje alergiczne lub pseudoalergiczne.

W krajach Europy Zachodniej, w Stanach Zjednoczonych i w innych wysokorozwiniętych krajach pszenica jest podstawowym zbożem używanym w kuchni. Śniadanie większości osób z reguły zawiera pszenicę w jakiejś formie: bułek, chleba, grzanek, precli, płatków, krakersów, drożdżówek, muffinów czy kaszy manny. Również inne posiłki w ciągu dnia często nie obędą się bez makaronów, klusek, knedli, pierogów, pizzy, naleśników czy sosów zagęszczanych mąką pszenną. Prawdopodobnie ta duża popularność pszenicy wynika z jej właściwości uzależniających, walorów smakowych, dosyć dużej zawartości węglowodanów i tłuszczu oraz stosunkowo niskiej ceny. Niestety, w porównaniu z innymi rodzajami zbóż to właśnie pszenica najczęściej wywołuje alergie pokarmowe.

Dieta bez pszenicy

Jeżeli występuje tylko nietolerancja pszenicy – bez nietolerancji glutenu – można używać w kuchni pozostałych zbóż zawierających gluten: owsa, jęczmienia, żyta oraz ich pochodnych. Natomiast produkty oznaczone jako bezglutenowe niekoniecznie są bezpszenne. Wiele bezglutenowych produktów może zawierać elementy pszenicy, na przykład olej pszenny. Często też chleby o nazwie „chleb żytni" czy „chleb orkiszowy" zawierają w swoim składzie pszenicę. Dlatego w przypadku uczuleń na samą pszenicę (nie na gluten) trzeba dokładnie czytać etykiety, pytać sprzedawców i obsługę lub przygotowywać posiłki w domu.

Często zdarza się też, że osoby nietolerujące pszenicy dobrze reagują na jej stare odmiany – orkisz czy samopszę. Dlaczego tak się dzieje? Orkisz i samopsza nie zostały zmodyfikowane genetycznie i nasz organizm jest dużo lepiej przystosowany do ich trawienia niż do trawienia wysokoglutenowych odmian produkowanych przez współczesne rolnictwo.

Rozdział 9

GMO I CO NAS CZEKA DALEJ

Pisząc o pszenicy, której skład genetyczny był wielokrotnie modyfikowany przez różne zabiegi agrotechniczne, nie sposób nie wspomnieć o współczesnej inżynierii genetycznej i zagrożeniach z niej płynących.

Kod genetyczny jest uniwersalnym zapisem obowiązującym wszystkich mieszkańców naszej planety. Czy będzie to bakteria, konik polny, żyto czy żyrafa – wszystkie organizmy za pomocą tych samych cegiełek kodują informacje o swojej budowie. Różnice w składzie DNA polegają jedynie na sposobie ułożenia owych cegiełek.

Przyroda w naturalny sposób reguluje procesy ewolucji i dzieje się to bardzo wolno. Na skutek różnorodnych zmian w środowisku zewnętrznym organizmy w nim żyjące dostosowują się do otoczenia. Jeżeli są to rejony bardzo suche, największe szanse na przetrwanie mają rośliny, które potrafią magazynować wodę (np. kaktusy). Jeżeli są to okolice bardzo wietrzne, przeżywają rośliny, które są niskie i karłowate (np. kosodrzewina w górach). Innymi słowy, jeżeli cechy zmutowanego organizmu są korzystne i pozwalają mu na funkcjonowanie w środowisku zewnętrznym, ma on szanse na przetrwanie i przekazywanie swoich genów potomstwu.

O ile jeszcze pięćdziesiąt lat temu modyfikacje pszenicy odbywały się w sposób stosunkowo naturalny – w wyniku krzyżówek różnych odmian, o tyle współczesne laboratoria dysponują znaczniej bardziej agresywnymi sposobami ingerencji w materiał genetyczny roślin. Chodzi o inżynierię genetyczną, która w celu uzyskania określonych cech biochemicznych, fizjologicznych i użytkowych dokonuje sztucznych zmian DNA przez usunięcie lub wprowadzenie nowych genów. W efekcie powstają organizmy zmodyfikowane genetycznie, inaczej GMO (*genetically modified organism*).

Żywność modyfikowana genetycznie może być zagrożeniem dla otaczającego środowiska i zdrowia człowieka z kilku powodów.

Upraw GMO obawiają się rolnicy ekologiczni, którzy stosują naturalne sposoby uprawy ziemi. Istnieje zagrożenie, że geny i cechy organizmów modyfikowanych genetycznie przeniosą się w niekontrolowany sposób na inne organizmy (na przykład z wiatrem) i powstaną nowe rośliny o zupełnie nieznanych cechach. Cechy te mogą okazać się bardzo toksyczne dla otaczającego środowiska.

Inny problem polega na tym, że niektórym roślinom modyfikowanym genetycznie wszczepia się geny, które powodują, że rośliny te wytwarzają różne związki toksyczne, na przykład przeciw chwastom czy pasożytującym owadom[20]. Jednakże coś, co działa toksycznie na organizmy niszczące uprawy, może także działać toksycznie na inne pożyteczne rośliny i zwierzęta. Ziemniaki GMO, które miały szkodzić mszycom (z wstawionym genem toksycznym dla mszyc), szkodzą nie tylko mszycom, lecz także innym owadom, w tym owadom pożytecznym, na przykład biedronkom (które w naturalny sposób regulują populację mszyc) lub pszczołom. Jest to kompletna katastrofa dla całego ekosystemu.

Wracając do alergii i układu odpornościowego – prawdopodobnie jednym z głównych problemów zdrowotnych, jakie mogą powodować rośliny transgeniczne, są właśnie alergie. Na skutek ingerencji w DNA organizmów modyfikowanych genetycznie tworzą się nowe rodzaje białek, zupełnie obce dla ludzkiego systemu immunologicznego. Już w tej chwili, choć liczba organizmów modyfikowanych genetycznie jest znikoma, zauważa się wyraźny wzrost alergenności organizmów modyfikowanych w stosunku do ich pierwotnych odpowiedników. Dodatkowo nie wiemy, jaki wpływ na nasz organizm będą miały połączenia białek różnych organizmów modyfikowanych. W celu określenia nieszkodliwości GMO potrzebne by były badania co najmniej na dwóch, trzech pokoleniach ludzi, które nie zostały wykonane z tej prostej przyczyny, że GMO jest technologią stosunkowo nową. Dlatego przeciwnicy inżynierii genetycznej podkreślają, że nie wiemy, czym się może skończyć stosowanie GMO w rolnictwie i żywieniu, gdyż długofalowe skutki tak naprawdę nie są znane. Z tego powodu wiele organizacji ekologicznych i innych na całym świecie domaga się zaniechania stosowania technologii GMO.

ROZDZIAŁ 10

INNE PRODUKTY, KTÓRE CZĘSTO POWODUJĄ ALERGIE

W zasadzie każdy produkt może wywoływać alergię – nawet te uchodzące za najzdrowsze. Spotykałam się nawet z nietolerancją marchwi czy selera. Niektóre pokarmy jednak częściej niż inne powodują odpowiedź układu immunologicznego. Prócz mleka i pszenicy do produktów, które stosunkowo często wywołują uczulenia, należą: orzechy ziemne, kukurydza, jaja, soja, drożdże, owoce cytrusowe, ryby, skorupiaki i wieprzowina. Wyeliminowanie ich z jadłospisu jest znacznie prostsze niż wyeliminowanie pszenicy czy mleka, wszechobecnych zwłaszcza w wyrobach gotowych przemysłu spożywczego.

Jaja kurze

Jaja kurze są jednym z częstszych alergenów. Często też alergia na jaja kurze występuje razem z alergią na jaja innych ptaków. Zdarza się jednak, że na przykład jaja przepiórcze czy kacze mogą być dobrze tolerowane mimo alergii na jaja kurze.

Orzechy ziemne

Ze wszystkich rodzajów orzechów to właśnie orzechy ziemne wywołują najwięcej alergii. Swoją zwyczajową nazwę zawdzięczają smakowi zbliżonemu do innych orzechów. W rzeczywistości jednak nie są orzechami, lecz należą do rodziny bobowatych. Produkcja rolna orzechów ziemnych często opiera się na syntetycznych nawozach oraz różnych bardzo toksycznych środkach ochrony roślin. Dobrze jest więc spróbować wykorzystać w kuchni orzechy wyhodowane metodami w pełni ekologicznymi, gdyż może się wtedy okazać, że prawdziwym problemem nie jest alergia na orzechy ziemne, ale brak tolerancji organizmu na chemiczne środki dodawane przy ich uprawie.

Wieprzowina

Wykluczenie wieprzowiny jest korzystne nie tylko dla alergików, lecz także osób zdrowych. Jest to mięso o dużej zawartości tłuszczów nasyconych i cholesterolu. Ponadto jeżeli mięso pochodzi z konwencjonalnej hodowli, zawiera substancje dodawane do paszy dla zwierząt, m.in. hormony i antybiotyki. Wiele badań potwierdza, że mięso wieprzowe przyczynia się do takich chorób, jak miażdżyca tętnic, choroba niedokrwienna serca, nowotwory, zaparcia.

Rozdział 11

DWUTOROWE POSTĘPOWANIE W PRZYPADKU NIETOLERANCJI POKARMOWYCH

Jeżeli organizm nie toleruje określonych produktów, to przede wszystkim trzeba je wykluczyć z diety. Samo to jednak nie wystarczy. Trzeba wzmocnić układ pokarmowy oraz cały organizm, aby był w stanie sprawnie trawić i przyswajać to, co dostarczamy mu z pożywieniem.

Wzmacnianie odporności

Przyroda zawsze daje najlepsze odpowiedzi na pytania dotyczące zdrowia. Jednym z najprostszych leków, które oferuje, jest naturalna pełnowartościowa żywność. Zawarte w świeżych warzywach, owocach i innych nieprzetworzonych pokarmach składniki odżywcze zawsze będą jedynym dobrym źródłem fitozwiązków, witamin i mikroelementów, dlatego że stanowią pewną całość biochemiczną i energetyczną. Odporność to jednak efekt nie tylko odżywiania, lecz także trybu życia: codziennego ruchu, ćwiczeń oddechowych, odpowiedniej ilości snu, przebywania na świeżym powietrzu, pozytywnego nastawienia do siebie i świata, uśmiechu i radości życia. Budujemy ją każdego dnia, cegiełka po cegiełce.

Ruch

Ruch, a zwłaszcza ruch na świeżym powietrzu, to bardzo istotny czynnik wzmacniania układu odpornościowego. Regularny ruch to szczupłe ciało, spowolnienie procesów starzenia się, sprawnie działający system immunologiczny. Ruch to również pogłębienie oddechów i lepsze dotlenienie każdej komórki ciała.

Oddech

Pełny przeponowy oddech to fundament utrzymywania odporności organizmu. Jedną z głównych przyczyn niewydolności różnych procesów przebiegających na poziomie komórkowym oraz osłabienia organizmu większości osób jest niedotlenienie. Tlen to niezbędny element zachodzących w organizmie procesów. Pełny oddech i przebywanie w nieskażonym środowisku często łagodzi objawy wielu chorób, w tym alergii.

Wzmacnianie organizmu przez odżywianie

Zdrowe odżywianie to nie tylko odpowiedni skład diety, o którym w dalszej części książki, lecz także wiele innych czynników.

Przede wszystkim przekonanie, jakoby duże ilości jedzenia były niezbędne dla zdrowia, jest z gruntu fałszywe. We współczesnych społeczeństwach więcej chorób wynika z przejedzenia bądź z jedzenia niezdrowych pokarmów niż z niedostatku pożywienia. Dlatego warto wstawać od stołu z uczuciem lekkiego niedosytu. Ochota na jedzenie powinna wypływać z nas, a nie z okoliczności zewnętrznych. Często widok jedzenia lub jego zapach powodują chęć skosztowania potrawy, co jest wykorzystywane przez przemysł spożywczy, sklepy i wielkie sieci handlowe. Umieszczanie słodkich batonów i innych tego rodzaju przekąsek przy kasach w supermarkecie kusi przede wszystkim dzieci, które mimo że są najedzone, chętnie jeszcze sięgnęłyby po coś słodkiego. Tego typu apetyt nie służy zdrowiu, gdyż daje uczucie ociężałości i otępienia.

Najlepiej jest „pić" pokarmy stałe, a „jeść" płynne, co oznacza, że pokarmy stałe w takim stopniu gryziemy i mieszamy ze śliną, żeby przybrały postać płynną. Natomiast pijąc wodę, trzeba ją dokładnie wymieszać ze śliną i dopiero potem przełykać. Szybkie picie zwłaszcza zimnych napojów jest dużym szokiem dla żołądka. Początkowo może to być trudne, zwłaszcza dla osób, które przywykły przełykać całe kęsy bez rozdrabniania. Dzięki dokładnemu rozdrabnianiu pokarmy doskonale łączą się z enzymem trawiennym – ptialiną, odpowiadającą za wstępną obróbkę węglowodanów, i bardzo sprawnie przebiega proces trawienia w dalszych odcinkach przewodu pokarmowego. Jeżeli żujemy niedokładnie, cały ciężar trawienia spada na trzustkę, która jest bardzo przeciążona u większości osób. Zwyczaj bardzo dokładnego i starannego żucia jest szczególnie istotny, kiedy spożywamy dużo nieprzetworzonych pokarmów roślinnych.

Jedzenie w stresie nawet najzdrowszych potraw nie sprzyja układowi pokarmowemu. Jeszcze nie tak dawno istniał zwyczaj modlitwy przed jedzeniem. Modlitwa uspokaja i wycisza umysł, dzięki czemu potrawy lepiej smakują, a i organizm jest w stanie sprawnie je strawić. Można przed rozpoczęciem spożywania posiłku po prostu wziąć kilka głębokich oddechów, oglądać potrawę, wąchać ją.

Często to nie jedzenie, lecz post jest najskuteczniejszym lekarstwem.

Kiedy nie masz ochoty na jedzenie, po prostu nie jedz. Posty wzmacniają zarówno siłę woli, jak i zdrowie. Jeden dzień postu w tygodniu pozwala odpocząć układowi pokarmowemu.

Rozdział 12

WZMOCNIENIE I REGENERACJA JELIT

Hipokrates nazwał jelita korzeniem życia. Bez korzenia drzewo usycha, usycha też więc życie. Od jelit, czyli od korzenia, musimy rozpocząć regenerację całego systemu odpornościowego.

W celu zlikwidowania stanów zapalnych w organizmie konieczne jest uszczelnienie jelita. Działanie powinno być dwutorowe, czyli trzeba wykluczyć pewne produkty, które mogą niekorzystnie działać na stan jelit, a jednocześnie prowadzić odpowiedni tryb życia i włączyć do diety pokarmy, które działają wzmacniająco nie tylko na jelita, lecz także na cały organizm.

Trzeba wykluczyć:

- Produkty uczulające lub takie, których nie tolerujemy. Zazwyczaj są to mleko, jaja, pszenica. Jednak testy alergiczne mogą wskazać również na inne składniki diety (trzeba zwrócić uwagę też na inne zboża). Produkty uczulające mogą doprowadzać do stanów zapalnych jelit, ich podrażnienia, a co za tym idzie – zwiększonej przepuszczalności.
- Mleko – nawet jeżeli testy nie wykazują nietolerancji mleka, a osoba cierpi na nietolerancję laktozy, zalegające w jelicie resztki niestrawionego cukru mogą podrażniać błonę śluzową i przyczyniać się do powstawania jej nieszczelności.

- Cukier rafinowany oraz wszystkie produkty, które go zawierają. Wyeliminowanie cukru jest podstawą w leczeniu dietetycznym alergii. Cukier osłabia odporność, niszczy śluzówkę jelita i nasila występowanie kandydozy (drożdżycy), gdyż drożdże bardzo szybko rozmnażają się na pożywce cukrowej. Grzyby *Candida albicans* stanowią naturalną mikroflorę układu pokarmowego człowieka, zasiedlając wraz z innymi mikroorganizmami jelito grube. Odżywiają się cukrami prostymi pozostałymi w masie kałowej. W normalnych warunkach mikroorganizmy jelitowe konkurują między sobą, dzięki czemu utrzymuje się homeostaza – równowaga biologiczna. Jeżeli jednak następuje wzrost ilości cukrów prostych w jelicie lub osoba przyjmuje antybiotyk przeciwbakteryjny (*Candida* są odporne na antybiotyki; antybiotyki zabijają bakterie, ale nie zabijają *Candida*), następuje nagły wzrost ilości drożdżaków *Candida*. Do rozwoju *Candida albicans* przyczynia się spożywanie cukru i produktów go zawierających: słodyczy, ciast, ciastek, czekolady, miodu, słodzonych napojów, soków owocowych. Również produkty na bazie białej mąki są ich ulubioną pożywką. Na skutek spożywania zbyt dużej ilości słodkich pokarmów drożdże *Candida* zaczynają się namnażać w sposób niekontrolowany i zasiedlają jelito grube, wypierając korzystną mikroflorę. Szczególny nacisk trzeba położyć na wykluczenie z jadłospisu cukru, czekolady, cukierków, ciastek, tortów, słodzonych napojów.
- Wysokoprzetworzone produkty przemysłu spożywczego. Człowiek zjada rocznie około jednej tony żywności. W tej ilości znajduje się średnio 6–7 kilogramów różnego typu dodatków do żywności, mających na celu poprawienie jakości przechowalniczej (takich jak konserwanty) oraz wizualno-smakowej (takie jak środki spulchniające, wzmacniacze smaku, barwniki). Pod względem zdrowotnym mogą mieć szkodliwe działanie na organizm człowieka. Wiele z tych dodatków może działać drażniąco na ściany przewodu pokarmowego, w tym błony śluzowe jelit, uszkadzać je i doprowa-

dzać do przenikania zbyt dużych, nie do końca strawionych cząstek pokarmowych do układu krwionośnego. Wprawdzie dla każdego dodatku E określona została dopuszczalna dawka dzienna (tzw. ADI = *acceptable daily intake*), ale im mniej tych dodatków w diecie, tym lepiej.

- Antybiotyki, prócz tego, że niszczą naturalną mikroflorę jelitową, pozwalają w nadmierny sposób rozrastać się pasożytom. Jeżeli antybiotyk jest konieczny, to należy też wprowadzić zalecenia dietetyczne: dietę bez cukru, bogatoresztkową. Antybiotyki można stosować tylko wtedy, gdy są rzeczywiście niezbędne – po konsultacji z doświadczonym lekarzem. Podczas antybiotykoterapii trzeba pamiętać o przyjmowaniu preparatów probiotycznych.
- Niektóre leki mogą przyczyniać się do zwiększenia przepuszczalności jelit, zwłaszcza niesteroidowe leki przeciwzapalne czy środki antykoncepcyjne.

Dieta i tryb życia sprzyjające regeneracji jelit:

- Spożywanie produktów naturalnych, takich jak warzywa, rośliny strączkowe, zboża bezglutenowe, owoce, orzechy i pestki. Dla niewegetarian również ryby i chude mięsa. Produkty te oprócz tego, że są bogate w sole mineralne, witaminy i inne substancje odżywcze, zawierają też zbawienny dla jelit błonnik.
- Proste posiłki i proste połączenia pokarmowe (produkty białkowe z warzywami, produkty węglowodanowe z warzywami, na przykład ryż lub kasza z warzywami, fasola z warzywami, surowe owoce najlepiej jako oddzielny posiłek). Kiedy jemy posiłki złożone z dużej liczby różnych grup pokarmowych, enzymy trawienne rozkładają jedne składniki pokarmowe szybciej, podczas gdy inne zalegają w tym czasie w układzie pokarmowym, co może być przyczyną procesów gnicia, fermentacji, namnażania się bakterii i mikroorganizmów chorobotwórczych.

- Dostarczanie w diecie substancji prebiotycznych. Są to takie składniki pokarmowe, które sprzyjają namnażaniu się korzystnej mikroflory jelitowej. Jest to głównie błonnik pokarmowy, zawarty w nieprzetworzonej żywności roślinnej, takiej jak warzywa, rośliny strączkowe, owoce, zboża (przy diecie bezglutenowej błonnik może pochodzić tylko ze zbóż bezglutenowych). Jeżeli więc te korzystne produkty będą głównym składnikiem naszej diety, nie zabraknie w niej również błonnika. Produkty pochodzenia zwierzęcego w ogóle nie zawierają błonnika. Badania wykazują na przykład, że mikroflora jelitowa wegetarian i niewegetarian zamieszkujących ten sam rejon znacznie się od siebie różni. Wegetarianie mają w jelitach korzystniejsze dla zdrowia bakterie, łatwiej utrzymują prawidłową masę ciała i zdecydowanie rzadziej zapadają na choroby cywilizacyjne.
- Włączenie do diety bakterii probiotycznych:

Podczas przywracania zdrowej mikroflory jelitowej dobrze jest przyjmować dobrej jakości suplementy probiotyczne. Zawarte w nich korzystne dla układu pokarmowego bakterie zasiedlą jelito grube. Suplementy te należy stosować zgodnie ze wskazaniami na opakowaniu. Żaden probiotyk jednak nie pomoże, jeżeli na stałe nie wyeliminujemy z diety pokarmów, które powodują namnażanie się patologicznej mikroflory: cukru i białej mąki. Każdorazowe spożycie tych produktów będzie powodowało przyrost ilości *Candida*. Probiotyk może jedynie pomóc doraźnie – w sytuacjach kryzysowych, kiedy wiemy, że środowisko jelita grubego zostało wyjałowione z pożytecznych bakterii.

- Bardzo dokładne przeżuwanie pokarmu, tak by stał się niemal płynny już w ustach. Dzięki temu ułatwiona zostaje praca w dalszych odcinkach przewodu pokarmowego, a do jelit dociera papka. W ten sposób starannie pogryziony pokarm nie drażni jelit.

- Niektóre zioła i przyprawy działają korzystnie na jelita i wspomagają ich regenerację. Są to: prawoślaz lekarski, pokrzywa zwyczajna, kurkuma, kmin rzymski, rumianek.
- Post oparty na warzywach i owocach pozwala odpocząć układowi trawiennemu i przyczynia się do regeneracji organizmu.
- Stres jest istotnym czynnikiem, który może zwiększyć przepuszczalność jelitową. Życie w wielkich miastach to, niestety, stres każdego dnia. Codzienny kontakt z przyrodą, przebywanie w samotności, otaczanie się pięknem, zielenią uspokaja nerwy i znacznie łagodzi efekty życia w tzw. cywilizowanym świecie.

Rozdział 13

JAKA DIETA WZMACNIA ORGANIZM I ZAPOBIEGA CHOROBOM?

Ludzie zawsze zastanawiali się, jak postępować, by w zdrowiu oraz w sprawności fizycznej i umysłowej doczekać sędziwego wieku. Odżywianie odgrywa tu niebagatelną rolę. Stosując odpowiednią dietę, możemy spodziewać się ustąpienia lub złagodzenia wielu dolegliwości, takich jak alergie, miażdżyca, otyłość, wysoki poziom cholesterolu, osteoporoza, zaparcia, choroby skóry, choroby nowotworowe. W zasadzie nie ma takiej choroby, której objawów nie można byłoby przynajmniej złagodzić, stosując odpowiednie odżywianie. Jakie zatem powinno być to odżywianie? Często w literaturze mówi się o problemie niedoboru białka. W krajach uprzemysłowionych to jednak nie niedobór, lecz nadmiar białka jest głównym problemem. Organizm człowieka nie potrzebuje takich ilości białka, jakich dostarcza mu dieta współczesnego mieszkańca krajów wysokorozwiniętych. Głównym winowajcą jest mięso, ale również mleko i przetwory mleczne.

Z literatury naukowej niezbicie wynika, że dla człowieka najodpowiedniejsza jest dieta obfitująca przede wszystkim w produkty roślinne. Zawierają one tysiące związków niezbędnych do utrzymania zdrowia i regeneracji układu odpornościowego. Są to witaminy, mikroelementy, fitozwiązki, błonnik, niezbędne kwasy tłuszcze, białka, węglowodany. Wielu związków występujących w roślinach, a niezbędnych dla ludzkiego zdrowia współczesna nauka z całą pewnością jeszcze nie zna.

Za największe i najbardziej profesjonalne badania dotyczące wpływu sposobu odżywiania na długość i jakość życia uważa się tzw. Projekt chiński (China-Cornell-Oxford Project), czyli badania przeprowadzone pod kierownictwem T. Colina Campbella[21]. Rozpoczęto je w latach siedemdziesiątych XX wieku w Chinach, które zostały uznane za idealne do ich przeprowadzenia, gdyż w przeciwieństwie do mieszkańców krajów Europy Zachodniej czy USA Chińczycy w tamtym okresie z reguły spędzali całe życie w jednym miejscu, co stanowiło dobry prognostyk dla określenia dalekosiężnych skutków stosowania określonego sposobu odżywiania. W samych Chinach istniały jednocześnie bardzo zróżnicowane tradycje związane z odżywianiem. W niektórych rejonach spożywano dużo żywności pochodzenia zwierzęcego, w innych niewiele. Dzięki temu można było określić, jak rodzaj diety i proporcje spożywanych pokarmów wpływają na stan zdrowia, a także odnotować występowanie pewnych chorób i śmiertelność. Badania te były dotychczas najbardziej wnikliwą oceną wpływu diety na zdrowie. Wzięto w nich pod uwagę między innymi:

- „Wskaźnik umieralności dla ponad czterdziestu ośmiu rodzajów chorób (różne rodzaje raka, choroba niedokrwienna serca, cukrzyca itd.),
- Sto dziewięć żywieniowych, wirusowych, hormonalnych i innych wskaźników we krwi,
- Ponad dwadzieścia cztery czynniki w moczu,
- Prawie trzydzieści sześć składników żywności (składniki odżywcze, pestycydy, metale ciężkie),
- Ponad trzydzieści sześć poszczególnych poziomów spożycia składników odżywczych i żywności,
- Trzydzieści sześć czynników odżywiania i stylu życia pozyskanych z ankiet,
- Siedemnaście czynników geograficznych i klimatycznych”[22].

Dzięki tym badaniom dokonano wspaniałych odkryć. Zaobserwowano mianowicie, że rodzaj diety bardzo wyraźnie determinuje zapadalność na choroby. W rejonach, gdzie spożycie produktów odzwierzęcych było nieduże, zapadalność na choroby serca i nowotworowe była niewielka. Tam zaś, gdzie mięso i jego produkty miały znaczący udział w diecie, występowały takie choroby, jak nowotwory, niedokrwienna choroba serca, otyłość, nadciśnienie tętnicze.

Korzystny wpływ diet roślinnych wykazano więc w odniesieniu do występowania wszystkich chorób cywilizacyjnych: miażdżycy, niedokrwiennej choroby serca, wysokiego stężenia trójglicerydów we krwi, otyłości, cukrzycy, jak również chorób nowotworowych, które trapią współczesnego człowieka częściej niż kiedykolwiek wcześniej.

Na podstawie uzyskanych wyników Campbell stwierdził, że idealna dla utrzymania dobrego zdrowia i długowieczności jest dieta roślinna oraz że „w pokarmach odzwierzęcych nie istnieją praktycznie żadne składniki odżywcze, które nie występowałyby w lepszej formie w roślinach"[23].

Spożywanie niedużych ilości pokarmów pochodzenia zwierzęcego nie stanowi oczywiście problemu. Campbell zaleca ograniczenie udziału produktów odzwierzęcych w diecie do 0–10%.

Przytaczam te badania, ponieważ stosując dietę bezmleczną i bezglutenową/bezpszenną, można wpaść w pułapkę nadmiernego spożycia mięsa i produktów odzwierzęcych. Nie tędy droga. Dieta powinna być głównie roślinna, co potwierdzają nie tylko badania Campbella, lecz także badania przeprowadzone u adwentystów w Kalifornii[24] oraz wiele innych badań[25].

Optymalna dieta powinna składać się głównie z warzyw, owoców, roślin strączkowych, zbóż, nasion, orzechów i pestek. Pokarmy zwierzęce, takie jak mięso, ryby, jaja, można spożywać na przykład 2–3 razy w tygodniu (0–10%). Wartości te są oczywiście przybliżone. Ci, którzy decydują się na dietę wyłącznie roślinną (weganie), dodatkowo muszą pamiętać o uzupełnianiu niedoborów witaminy B_{12}. Ponadto w okresie zimowym wszyscy zbyt mało przebywający na świeżym powietrzu powinni przyjmować witaminę D.

Rozdział 14

PRODUKTY DOZWOLONE WE WZMACNIAJĄCEJ DIECIE BEZGLUTENOWEJ I BEZMLECZNEJ

W tabeli 3 przedstawiam produkty, które można stosować w diecie bezglutenowej i bezmlecznej. Dieta ta ma również wzmacniać odporność, dlatego jako produkty dozwolone uwzględniłam głównie pełnowartościowe produkty roślinne. Niezależnie zatem od tego, że rafinowany olej nie zawiera glutenu ani mleka, znajduje się na liście produktów zakazanych, ponieważ działa niekorzystnie na organizm.

W pierwszej rubryce znajdują się wszystkie produkty, które można bezpiecznie spożywać, będąc na wzmacniającej diecie bezmlecznej, bezglutenowej i bezcukrowej.

W drugiej rubryce umieszczone są produkty, które stanowią ryzyko dla osób na diecie bezmlecznej, bezglutenowej i bezcukrowej. Jeżeli nie znamy dokładnego składu produktu lub wyrób pochodzi z niewiadomych źródeł albo korzystamy z usług gastronomii i obsługa nie potrafi udzielić nam informacji o składzie proponowanych dań, lepiej zrezygnować z ich spożywania.

Trzecia rubryka zawiera żywność zakazaną dla osób na wzmacniającej diecie bezmlecznej i bezglutenowej. Produkty te z natury zawierają gluten, mleko lub cukier albo wszystkie te składniki (na przykład gotowe pierogi z serem). W rubryce tej znajdują się również wszelkie składniki diety niesłużące zdrowiu, nawet gdy nie zawierają wymienionych składników.

Tab. 3. Produkty dozwolone i zakazane w diecie bezglutenowej, bezmlecznej i wzmacniającej odporność

Dozwolone	Produkty stanowiące ryzyko	Zakazane
Zboża, przetwory zbożowe i pieczywo*		
Amarantus Gryka (kasza gryczana) Dziki ryż Komosa ryżowa Kukurydza Ryż pełnoziarnisty – różne odmiany Ryż czerwony Makarony bezglutenowe (np. makaron ryżowy) Owies bezglutenowy (specjalnie oznakowany) Proso (kasza jaglana) Sorgo Tapioka Chleby bezglutenowe (ryżowy, gryczany itp.)	Przetwory zbożowe o nieznanym składzie: Przetwory na bazie kukurydzy Przetwory na bazie ryżu Przetwory na bazie innych zbóż bezglutenowych Przetwory na bazie ryżu, kukurydzy czy innych zbóż naturalnie bezglutenowych mogą zawierać w składzie zboża glutenowe, np. bułeczki gryczane z reguły jedynie w około 50% składają się z mąki gryczanej, pozostała część to mąka pszenna	Pszenica i przetwory (mąka, płatki itp.) Żyto i przetwory (mąka, płatki itp.) Jęczmień i przetwory (mąka, płatki itp.) Owies i przetwory (mąka, płatki itp.) Pszenżyto i przetwory (mąka, płatki itp.) Orkisz i przetwory (mąka, płatki itp.) Kamut i przetwory (mąka, płatki itp.) Otręby Zarodki Muesli Wyroby garmażeryjne, w których skład wchodzą podane zboża glutenowe:

		pierogi, kluski, placki, knedle, racuchy, naleśniki itp. Seitan Kuskus Chleby pszenne, żytnie Bułki, bajgle, rogale, drożdżówki itp. Zakwas na bazie mąk z glutenem
Rośliny strączkowe		
Soczewica czerwona i zielona Groch Fasole Ciecierzyca Soja	Gotowe dania z roślin strączkowych o nieznanym składzie, np.: Pasztety sojowe Fasole w sosach	Dania z roślin strączkowych zawierające w składzie mleko, gluten, pszenicę, np. fasole w sosie zagęszczanym mąką pszenną Pasztety sojowe z dodatkiem glutenu itp.

* W przypadku nietolerancji pszenicy bez nietolerancji glutenu można spożywać dodatkowo:

- owies i jego przetwory, o których wiadomo, że nie zawierają w składzie pszenicy ani mleka;
- jęczmień i jego przetwory, o których wiadomo, że nie zawierają w składzie pszenicy ani mleka;
- żyto i jego przetwory, o których wiadomo, że nie zawierają w składzie pszenicy ani mleka.

Warzywa i owoce, grzyby		
Wszystkie rodzaje warzyw, owoców i grzybów, które nie zawierają niepożądanych dodatków	Przetwory warzywne i owocowe o nieznanym składzie: Gotowe dania warzywne i owocowe Przeciery warzywne i owocowe	Gotowe przetwory warzywne i owocowe, przetwory z grzybów, do których przygotowania użyto mleka, pszenicy, glutenu, cukru
Orzechy, nasiona, pestki		
Wszystkie rodzaje orzechów, pestek, nasion, które nie zawierają niepożądanych dodatków	Orzechy z dodatkami o nieznanym składzie, np. gotowymi mieszankami przypraw	Orzechy w mlecznych polewach Orzechy w karmelu
Tłuszcze		
W ograniczonych ilościach: Oleje z pierwszego tłoczenia, w szczególności olej lniany, olej z wiesiołka dwuletniego, oliwa z oliwek		Margaryny Olej z pszenicy Oleje rafinowane Oleje długo podgrzewane Tłuszcze odzwierzęce: smalec, słonina, boczek

Ryby, mięso, jaja		
Do 10% udziału w diecie: Świeże ryby, świeże mięso (indyk, kurczak, królik), jaja (Dla wegan witamina B_{12} – jeżeli jej poziom we krwi jest zbyt niski)	Przetwory mięsne i rybne o nieznanym składzie, które mogą zawierać niepożądane dodatki: Mięso mielone Wędliny Pasztety	Konserwy mięsne i rybne Parówki Gotowe półprodukty panierowane
Mleko i sery		
Mleko roślinne: Kokosowe Ryżowe Sojowe Inne mleka roślinne Serek tofu	Gotowe mleka roślinne o nieznanym składzie, które mogą zawierać niepożądane dodatki, takie jak gluten	Mleko i produkty mleczne pochodzenia zwierzęcego Śmietana, kefir, jogurt Ser, twarogi
Ciasta, desery, słodziki		
Ciasta i ciasteczka na bazie mąk bezglutenowych Kisiele zagęszczone mąką ziemniaczaną, kukurydzianą, ryżową, kuzu Galaretki owocowe na bazie agaru	Słodycze i ciasta o nieznanym składzie, które mogą zawierać niepożądane dodatki	Cukier rafinowany oraz wszelkie zawierające go produkty: czekolady, batony, cukierki, lizaki, gumy do żucia, gotowe desery, ciasta, torty, lody

Duszone, pieczone owoce Owoce suszone (rodzynki, daktyle, śliwki itd.) Miód, słody, stewia		Desery i słodycze na bazie mleka zwierzęcego Desery i słodycze na bazie mąki z glutenem
Przyprawy, dodatki		
Wszystkie naturalne przyprawy: Bazylia, majeranek, liść laurowy, tymianek, ziele angielskie, pieprz itd. Ocet winny, jabłkowy Bezglutenowy proszek do pieczenia	Gotowe mieszanki przypraw o nieznanym składzie, które mogą zawierać niepożądane dodatki: Przyprawa do kurczaka Przyprawa do grilla itp. Musztardy Ketchupy Gotowe sosy i dressingi Sosy sojowe	Mieszanki przypraw zawierające gluten i mleko Proszek do pieczenia zawierający gluten Przyprawy z dodatkiem glutaminianu sodu

Napoje		
Woda Herbatki ziołowe Soki owocowe i warzywne bez dodatku cukru, glutenu, mleka Kompoty	Napoje o nieznanym składzie, które mogą zawierać niepożądane dodatki: Syropy do przygotowywania napojów owocowych Napoje kawowe Napoje kakaowe Koncentraty kawy Inne	Kawa zbożowa Kawa cappuccino Kakao na mleku Mleko i napoje na bazie mleka Napoje słodzone Napoje alkoholowe na bazie zbóż glutenowych

Źródło: materiały własne.

Jeżeli spożywamy gotowe produkty przemysłu spożywczego i chcemy być całkowicie pewni, że nie zawierają one glutenu, trzeba kupować te, które zawierają opis słowny „produkt bezglutenowy”.

Rozdział 15

ZBOŻA I PSEUDOZBOŻA Z NATURY NIEZAWIERAJĄCE GLUTENU

Podstawą zdrowej kuchni powinny być warzywa i owoce. To baza diety korzystnie działającej na organizm. Zboża oraz pseudozboża niezawierające glutenu mogą być używane w kuchni bezglutenowej, jednak trzeba pamiętać o tym, że dla osób z nietolerancją glutenu problemem może być też spożywanie zbóż, które nie zawierają glutenu – u niektórych osób niekorzystnie działać może na przykład kukurydza lub ryż. W takich przypadkach należy odstawić również te produkty. Ziarna można wstępnie przygotować do spożycia przez prażenie, które jednocześnie nadaje im bardziej rozgrzewające właściwości. Poniżej prezentuję zboża oraz pseudozboża w naturalny sposób niezawierające glutenu.

Amarantus

Zaliczany do najstarszych roślin uprawnych świata. Amarantus był jedną z podstawowych roślin uprawianych przez Azteków, Majów oraz Inków. Wykorzystywano go jako składnik diety oraz uważano za roślinę świętą.

Amarantus jest bogatym źródłem białka o bardzo wysokiej wartości odżywczej. Dostarcza ono aminokwasów egzogennych, zwłaszcza lizyny. Charakteryzuje się dużą zawartością skwalenu, dzięki czemu może opóźniać starzenie się organizmu i obniżać poziom niekorzystnych frakcji cholesterolu. Skwalen jest używany do produkcji leków przeciwdziałających starzeniu się organizmu.

Duża zawartości wapnia w ziarnie amarantusa pozwala na znaczne wzbogacenie diety w ten pierwiastek. Amarantus zawiera prawie dwukrotnie więcej wapnia niż mleko. Dodatkowo ze względu na zawartość innych pierwiastków niezbędnych do wchłaniania wapnia, takich jak magnez i krzem, jest jego doskonałym, łatwo przyswajalnym źródłem. Dzięki dużej zawartości białka i wapnia amarantus poleca się kobietom w ciąży i w okresie karmienia piersią. Dobrze jest też wykorzystywać go w żywieniu niemowląt i dzieci, gdyż ma działanie wzmacniające.

Amarantus zawiera białka, tłuszcze, witaminy, wapń, magnez, krzem. Jest pseudozbożem bezglutenowym.

Chia

Roślina z rodziny jasnotowatych pochodząca z Meksyku i Gwatemali. Charakteryzuje się bardzo wysoką zawartością kwasów omega-3. Zawiera również dużo przeciwutleniaczy i minerałów: wapnia (6 razy więcej niż w mleku), fosforu, magnezu, żelaza, cynku.

Gryka

Gryka tak naprawdę nie jest zbożem, gdyż należy do rodziny rdestowatych. Jej ziarno charakteryzuje się dużą zawartością flawonoidów, głównie flawonów, katechin i rutyny. Zawarta w gryce rutyna zapobiega rozpadowi witaminy C, działając uszczelniająco na naczynia krwionośne, zwiększając ich elastyczność i zmniejszając przepuszczalność. Dlatego gryka ma zastosowanie w leczeniu chorób przebiegających z osłabieniem naczyń krwionośnych, takich jak żylaki czy hemoroidy.

Jest stosowana w terapii takich schorzeń, jak nadciśnienie, zaparcia, nowotwory (ma działanie zasadotwórcze), choroby jelit (biegunki, rak jelit).

Zawiera białka, tłuszcze, witaminy z grupy B i E, wapń, żelazo, magnez, selen.

Gryka jest dostępna w sprzedaży w formie białej i ciemnej – prażonej. Jako że prażenie zwiększa właściwości rozgrzewające pokarmów, warto ją w tej postaci spożywać w chłodniejszych porach roku. Gryka jest pseudozbożem bezglutenowym.

Kukurydza

Kukurydza pochodzi z Meksyku, gdzie stanowi jeden z podstawowych produktów wykorzystywanych w kuchni. Po odkryciu Ameryki przez Krzysztofa Kolumba jej uprawa i spożycie rozpowszechniło się również na innych kontynentach. Kukurydza znajduje wszechstronne zastosowanie w żywieniu. Ze zmielonych nasion otrzymuje się mąkę i kaszę, a młode kolby używane są jako warzywo.

Kukurydza wspomaga diurezę – przesączanie w kłębuszkach nerkowych.

Jej ziarno zawiera białka, tłuszcze, witaminy B_1, B_2, B_6, E, wapń, żelazo, magnez, selen.

Kukurydza jest zbożem bezglutenowym, jednak dosyć często wywołuje uczulenia.

Proso (kasza jaglana)

Proso, mimo że należy do najstarszych roślin uprawnych świata, zostało współcześnie wyparte przez pszenicę, ziemniaki i ryż. A szkoda, bo posiada wiele cennych właściwości zdrowotnych. Proso wzmacnia układ pokarmowy. Sprzyja usuwaniu wody z organizmu, dlatego zaleca się je osobom ze skłonnością do opuchlizn i gromadzenia płynów, a także kobietom po porodzie.

Proso ma działanie zasadotwórcze, co przy współczesnym nadużywaniu w diecie produktów kwasotwórczych, takich jak mięso, białe pieczywo, słodycze czy nabiał, ma szczególne znaczenie. Właściwość ta wykorzystywana jest w leczeniu chorób nowotworowych.

Zawiera dużo krzemu, który korzystnie działa na stan skóry, włosów, paznokci, kości. Krzem utrzymuje również elastyczność naczyń krwionośnych.

Jest lekkostrawne, dlatego poleca się je rekonwalescentom oraz kobietom w ciąży jako zboże nieobciążające nadmiernie przewodu pokarmowego i bogate w minerały. Zawiera białka, tłuszcze, witaminy B_1, B_2, wapń, żelazo, magnez, cynk, krzem.

Z prosa wytwarza się kaszę jaglaną. Jest zbożem bezglutenowym.

Komosa ryżowa (quinoa)

Komosa ryżowa to suszony owoc rośliny z Ameryki Południowej (Boliwii, Peru). Była, obok amarantusa, podstawowym ziarnem spożywanym przez Inków.

Jest doskonałym źródłem białka i zawiera go najwięcej ze wszystkich zbóż. Białko to ponadto ma pełny profil aminokwasowy, co rzadko się spotyka w produktach pochodzenia roślinnego.

Ziarno komosy zawiera około 5% tłuszczu. W tłuszczu tym nawet 4,3% może stanowić kwas alfa-linolenowy. Z tego względu, że kwas alfa-linolenowy występuje głównie w rybach, komosa może być bardzo atrakcyjnym źródłem tego kwasu zwłaszcza dla wegan. Na uwagę zasługuje również bardzo duża zawartość wapnia w nasionach komosy. Jest ona większa niż wapnia w mleku (podobnie jak w ziarnie amarantusa). Duża zawartość żelaza w komosie stanowi o jej dobrych właściwościach krwiotwórczych i odbudowujących naczynia. Oprócz tego roślina jest źródłem fosforu, witaminy E i witamin z grupy B.

Komosa ryżowa może być bardzo wartościowym ziarnem, zwłaszcza w diecie wegan, ze względu na dużą zawartość białka. Jest pseudozbożem bezglutenowym.

Ryż

Ryż, dostępny w kilku odmianach, sprzedawany jest z reguły w formie oczyszczonej jako tzw. biały ryż. Usuwanie z ryżu łuski pozbawia go wielu cennych składników, które skoncentrowane są głównie w otoczce. Błonnik ryżowy, podobnie jak inne rodzaje błonnika, pobudza do pracy jelita oraz cały układ pokarmowy i stanowi doskonałą pożywkę dla korzystnych mikroorganizmów jelitowych. Pisząc o leczniczych właściwościach ryżu, mam na myśli ryż nieoczyszczony, bogaty w błonnik i mikroelementy.

Ryż ma działanie uspokajające, kojące nerwy, co zawdzięcza między innymi dużej zawartości witamin z grupy B oraz lecytyny. Lecytyna oprócz właściwości uspokajających ma również działanie poprawiające pamięć i usprawniające pracę mózgu.

Ryż jest też zbożem polecanym w terapii nowotworów.

Ryż zawiera białka, tłuszcze, witaminy B_1, B_2, B_3, E, żelazo, potas. Jest zbożem bezglutenowym.

Dziki ryż

Długie, ciemne ziarno dzikiego ryżu charakteryzuje się lekko orzechowym smakiem i aromatem. Dziki ryż zawiera dużo magnezu, cynku, żelaza i witamin z grupy B.

Rozdział 16

LISTA PRODUKTÓW W NATURALNEJ KUCHNI BEZGLUTENOWEJ I BEZMLECZNEJ

Proponując listę naturalnych produktów, mam na myśli produkty nieprzetworzone. To właśnie one najkorzystniej wpływają na zdrowie naszego organizmu, podniesienie jego odporności oraz leczenie alergii i nietolerancji pokarmowych. Duża zawartość składników mineralnych, witamin i innych substancji odżywczych pozwoli zregenerować układ odpornościowy, wzmocnić błony śluzowe, zwłaszcza błony śluzowe jelit. Listę oczywiście można rozszerzać o inne nieprzetworzone produkty.

Warzywa

Surowe warzywa są skarbnicą witamin i mikroelementów. Wiele osób jednak nie do końca jest w stanie strawić surowe warzywa. Dlatego poleca się ich lekką obróbkę kulinarną w celu zwiększenia strawności i nadania warzywom bardziej rozgrzewających właściwości. W zależności od pory roku, jak również konsystencji warzyw dostosowujemy proporcje spożycia warzyw surowych do gotowanych: w cieplejszych miesiącach jemy więcej warzyw surowych, natomiast jesienią i zimą gotowanych. Poniżej przedstawiam listę zalecanych warzyw z podziałem na grupy użytkowe.

Korzeniowe

Burak
Marchew
Pietruszka
Seler

Kapustne

Brokuł
Jarmuż
Kalafior
Kalarepa
Kapusta biała
Kapusta chińska (bok choy)
Kapusta pekińska
Kapusta włoska
Kapusta brukselska

Cebulowe

Cebula
Czosnek
Por
Szczypior

Liściowe

Boćwina
Cykoria
Endywia
Mniszek
Roszponka
Szpinak
Rukola
Sałata
Seler naciowy
Szczaw

Dyniowate

Cukinia
Dynia
Dynia makaronowa
Patison

Psiankowate

Bakłażan
Papryka
Pomidor
Ziemniak

Rzepowate

Rzepa
Rzodkiew
Rzodkiewka
Rzodkiew japońska (daikon)

Owoce

Owoce w diecie doskonale zaspokajają ochotę na smak słodki. Są bogatym źródłem witamin, soli mineralnych, mikroelementów, błonnika, pektyn i innych niezbędnych dla zdrowia składników.

Jak spożywać i przygotowywać owoce:

- Ze względu na dużą zawartość cukrów prostych, zwłaszcza fruktozy, owoce są trawione szybciej niż pozostałe grupy pokarmowe i najlepiej spożywać je jako oddzielny posiłek.
- Najlepiej jeść owoce w pełni dojrzałe i prosto z drzewa. Często ze względów przechowalniczych zbioru owoców dokonuje się na długo przed ich dojrzeniem. Wartość energetyczna i żywieniowa takich owoców jest dużo mniejsza.
- Soki owocowe są bardziej ochładzające od samych owoców. Nie są zalecane jako produkt do częstego spożycia. Jeżeli pijemy sok owocowy, to lepiej zmieszać go z gorącą wodą.
- Dla wielu osób z objawami zimna niewskazane jest jedzenie owoców surowych, lecz lekko podgotowanych.
- Zbyt długie gotowanie owoców pozbawia je wielu witamin. Owoce najlepiej gotować nie dłużej niż 1–2 minuty.
- Warto kupować owoce pochodzące z upraw ekologicznych lub takie, o których wiemy, że do ich produkcji nie używano środków ochrony roślin. Mocno opryskiwane chemikaliami są zwłaszcza banany, pomarańcze, jabłka. Natomiast owoce miękkie, takie jak truskawki czy maliny, bardzo łatwo kumulują różne środki chemiczne ze względu na delikatność skórki i całej struktury. Szczególnie dzieci, ze względu na nie do końca ukształtowany układ trawienny, mogą bardzo gwałtownie reagować na pestycydy i sztuczne nawozy znajdujące się w owocach.

Agrest
Ananas
Arbuz
Awokado
Banany
Borówki amerykańskie
Brzoskwinie
Cytryny
Czereśnie
Figi
Granaty
Gruszki
Jabłka
Jagody
Jeżyny
Kiwi
Liczi
Limonki
Maliny
Mandarynki
Mango
Morele
Morwy
Nektarynki
Papaje
Pomarańcze
Porzeczki
Śliwki
Truskawki
Winogrona
Wiśnie
Żurawiny
Owoce suszone

Grzyby

Boczniaki
Grzyby leśne
Grzyby mun
Grzyby shiitake
Pieczarki

Zboża i pseudozboża

Amarantus
Chia
Komosa ryżowa (quinoa)
Kasza jaglana
Kasza gryczana
Ryż – różne odmiany (parboiled, czerwony itp.)
Dziki ryż

Mąki

Mąki powstają przez zmielenie nasion zbóż i innych roślin, takich jak ciecierzyca czy niektóre orzechy. Możemy je kupić gotowe lub przygotować w domu.

Mąka gryczana
Mąka jaglana
Mąka kasztanowa
Mąka migdałowa
Mąki orzechowe
Mąka ryżowa (z pełnego ziarna)
Mąka z ciecierzycy
Mąka ziemniaczana

Rośliny strączkowe

W krajach uprzemysłowionych zostały w dużej mierze wyparte przez białka pochodzenia zwierzęcego. Rośliny strączkowe są ciągle za mało doceniane w naszej codziennej kuchni. Zawierają one mnóstwo białka, które doskonale może zastępować białko zwierzęce, a poza tym obfitują w wiele innych związków i składników mineralnych niezbędnych dla zdrowia.

Bób
Ciecierzyca
Fasole: adzuki, biała, czerwona, mung, czarne oczko itd.
Groch
Soczewice: czerwona i zielona
Soja (tofu, tempeh)
Kiełki roślin strączkowych

Glony

Glony spożywamy zawsze w bardzo niedużych ilościach, traktując je nie tylko jako uatrakcyjnienie posiłków, lecz także wyjątkowo bogate źródło soli mineralnych.

Arame
Kelp
Kombu
Nori
Wakame

Orzechy, nasiona, pestki

Orzechy, nasiona i pestki są maleńkimi zalążkami roślin, zawierającymi w sobie potencjał często dużego drzewa. Są bogatym źródłem energii, białek i tłuszczów, dlatego powinny być spożywane w niedużych ilościach. Mają działanie wzmacniające i są pomocne w leczeniu stanów niedoborowych organizmu. Zawarty w orzechach tłuszcz charakteryzuje się bardzo dużym stężeniem nienasyconych kwasów tłuszczowych, obniża poziom złego cholesterolu, co zmniejsza ryzyko problemów z układem krwionośnym, choroby wieńcowej i miażdżycy. W zależności od rodzaju orzechów skład tłuszczu będzie się zmieniał, ogólnie jednak można przyjąć, że zawarte w orzechach tłuszcze sprzyjają zachowaniu zdrowia. Orzechy są też doskonałym źródłem rozpuszczalnej w tłuszczu witaminy E, która ma właściwości przeciwutleniające.

Ze względu na dużą zawartość białka i tłuszczów orzechy pozbawione łupin mogą bardzo szybko ulegać zepsuciu. Dlatego najlepiej kupować orzechy w łupinach i jeść bezpośrednio po wyłuskaniu. Orzechy w łupinach przechowujemy w suchym i przewiewnym miejscu.

Orzechy mogą zawierać znaczne ilości toksyn. Są to głównie toksyny wytwarzane przez bytujące na miąższu orzechów mikroorganizmy. W zasadzie obecność toksyn dyskwalifikuje orzechy i ziarna jako produkt spożywczy, gdyż mogą one być bardzo szkodliwe dla organizmu człowieka.

Siemię lniane (nasiona lnu)

Zawiera białka, tłuszcze, witaminy B_1, B_2, wapń, żelazo, magnez, cynk. W siemieniu lnianym występuje też dużo kwasów omega-3. Kwasy te pełnią w organizmie wiele istotnych funkcji, takich jak obniżanie poziomu cholesterolu, regeneracja błon śluzowych, udział w różnorodnych procesach biochemicznych.

Migdały
Nasiona słonecznika
Nasiona konopi
Nerkowce
Orzechy brazylijskie
Orzechy laskowe
Orzechy włoski
Orzechy pekan
Pestki dyni
Pistacje
Sezam
Siemię lniane
Wiórki kokosowe

Przyprawy naturalne

Bazylia
Curry
Cynamon
Gałka muszkatołowa
Goździki
Gorczyca
Imbir
Kardamon
Kmin rzymski
Kminek
Kurkuma
Liść laurowy
Lubczyk
Majeranek
Oregano
Pieprz
Tymianek
Wanilia
Ziele angielskie

Ryby, owoce morza, mięso

- Flądra
- Halibut
- Dorsz
- Łosoś
- Łupacz
- Makrela
- Morszczuk
- Pstrąg
- Sardynki
- Sola
- Śledź
- Tuńczyk
- Owoce morza
- Dziczyzna
- Indyk
- Królik
- Kurczak
- Wieprzowina
- Inne mięsa

Tłuszcze

Tłuszcze, nawet te najzdrowsze, czyli z pierwszego tłoczenia, są rodzajem żywności rafinowanej, gdyż nie stanowią całości pokarmowej, jaką są całe ziarna roślin używanych do produkcji olejów. Dlatego tłuszcze powinniśmy stosować w ilościach umiarkowanych (najlepiej do surówek), a zamiast nich wykorzystywać w kuchni naturalnie oleiste rośliny, takie jak orzechy, nasiona, również zboża, rośliny strączkowe czy niektóre owoce (awokado, oliwki).

Jeżeli używamy tłuszczu, to tylko dobrej jakości, z pierwszego tłoczenia. Bardzo istotną grupę stanowią niezbędne nienasycone kwasy tłuszczowe (NNKT), zawarte zwłaszcza w oleju lnianym, oleju z wiesiołka, oliwie z oliwek. Są to lipidy, których nasz organizm nie potrafi syntetyzować sam. Pełnią wiele funkcji w organizmie, a ich niedobór prowadzi do powstania problemów zdrowotnych, objawiających się zahamowaniem wzrostu u dzieci i młodzieży, pojawianiem się stanów depresyjnych, zmniejszonym wydzielaniem gruczołów łojowych oraz problemami skórnymi, takimi jak sucha, cienka, łuszcząca się skóra. Z niezbędnych nienasyconych kwasów tłuszczowych powstają prostaglandyny – hormony tkankowe, które decydują o przepuszczalności błon komórkowych, odporności na infekcje, szerokości naczyń krwionośnych oraz wytwarzaniu hormonów sterydowych.

Olej lniany
Olej konopny
Olej rzepakowy
Olej z wiesiołka dwuletniego
Oliwa z oliwek

SŁODZIKI

Cukier rafinowany nie zawiera żadnych witamin i mikroelementów niezbędnych do zachodzenia procesów życiowych, a znajdujących się w nieprzetworzonych produktach roślinnych. Zamiast cukru możemy sporadycznie używać niedużych ilości naturalnych słodzików.

Miód
Słody
Stewia
Nierafinowany cukier trzcinowy

Rozdział 17

SPOSOBY OBRÓBKI KULINARNEJ

Gotowanie

Długość gotowania dostosowujemy do produktów, biorąc pod uwagę to, że jeżeli zbyt długo gotujemy warzywa czy owoce, tracą one wiele ze swych pierwotnych wartości odżywczych. Dlatego dłuższemu gotowaniu poddajemy warzywa twarde korzeniowe, takie jak buraki, marchew, seler, pietruszka. Są to jednocześnie warzywa, które dobrze przechowują się w okresie zimowym i warto je spożywać, zwłaszcza zimą. Natomiast takie warzywa, jak szpinak, brokuły, kalafior można jeść na surowo lub wymagają jedynie krótkiej obróbki termicznej, gdyż gotowane zbyt długo stają się niesmaczne i tracą wartości odżywcze.

Pieczenie w piekarniku

W piekarniku możemy piec różnego rodzaju zapiekanki, chleb, ziemniaki, warzywa, ciasta, ustawiając różne temperatury w zależności od użytego produktu.

Gotowanie na parze

Gotowanie na parze to jeden z najkorzystniejszych sposobów przygotowywania żywności. Wymaga ono specjalnego zestawu dwóch garnków. Jeden garnek jest zwykły, natomiast drugi, w formie sitka, nakładany na pierwszy. Do dolnego garnka wlewamy wodę, która paruje podczas gotowania, natomiast w górnym umieszczamy przeznaczone do gotowania produkty.

Smażenie

Najlepiej wykluczyć lub bardzo mocno ograniczyć produkty smażone w jadłospisie. W procesie smażenia żywność ma bezpośredni kontakt z tłuszczem, w którym pod wpływem wysokiej temperatury zachodzą zmiany biochemiczne i powstaje wiele toksycznych związków. Jeżeli już decydujemy się na ten rodzaj obróbki kulinarnej, bardzo ważne jest użycie takiego tłuszczu, który nie staje się szybko toksyczny pod wpływem wysokiej temperatury. Do smażenia najlepiej używać oleju rzepakowego lub oliwy z oliwek. Są to tłuszcze, w których zmiany pod wpływem wysokiej temperatury zachodzą stosunkowo wolno. Potrawy długo smażone w głębokim oleju (np. warzywa w cieście, frytki, pączki) powinny być spożywane jedynie sporadycznie, ze względu na powstawanie szkodliwych produktów rozpadu tłuszczów, izomerów *trans* oraz różnych innych toksycznych związków. Oleje, na których już smażyliśmy, nie nadają się do powtórnego wykorzystania i należy je wylewać.

Rozdział 18

POSIŁKI

Rozkład posiłków dostosowałam do osób pracujących w godzinach 8.00–16.00 lub uczących się, które większość dnia spędzają poza domem. Wtedy dwa główne posiłki: śniadanie i obiadokolację, jemy w domu, natomiast do pracy lub szkoły zabieramy lunch.

Śniadanie

Śniadanie najlepiej zjeść w godzinach 7.00–11.00, kiedy naprawdę poczujemy się głodni. Świetny pomysł na śniadanie to smoothie z owoców, warzyw, nasion; sałatka ze świeżych owoców z dressingiem z orzechów, muesli, granola. Jako posiłek śniadaniowy sprawdzą się także bezglutenowe kasze czy ryż. Gotujemy je z owocami, ziarnami, orzechami lub warzywami sezonowymi. Można też podać zupę, zapiekankę, naleśniki itp.

Lunch

Lunch przygotowujemy w domu i zabieramy do pracy lub szkoły. W związku z tym trzeba zaopatrzyć się w odpowiednie naczynie do przechowywania żywności, w które możemy zapakować na przykład: sałatkę, zupę, kanapki z bezglutenowego chleba, tortillę bezglutenową. Surowe owoce najlepiej jeść osobno, na przykład jako przekąskę między lunchem a obiadokolacją.

Obiadokolacja

Obiadokolację w zależności od potrzeb jemy w godzinach 16.00–19.00. Może się ona składać z dwóch dań – zupy i drugiego dania. Może też być jednodaniowa, ale wtedy musi być bardziej obfita. Dobrze sprawdzą się warzywa, rośliny strączkowe z warzywami, bezglutenowe zboża z warzywami, mięso lub ryba z warzywami, zapiekanki czy kotlety z różnymi dodatkami. Na obiadokolację można też podać zupę z dodatkiem roślin strączkowych, warzyw, grzybów itp.

Zdrowe odżywianie nie oznacza, że nasze życie kręci się tylko wokół kuchni

Poniżej podaję przykładowy jadłospis. Pamiętajmy jednak, że jest to jedynie propozycja i nie ma potrzeby, żeby składał się z takiego urozmaicenia dań. Jeżeli gotujesz zupę, to możesz ją przygotować na dwa dni. Przechowywana w lodówce niewiele straci ze swej pierwotnej wartości odżywczej. Jeżeli na kolację podajesz fasolę z warzywami, to możesz ugotować więcej fasoli i na drugi dzień przygotować z niej na przykład kotlety fasolowe. Zupę, którą przygotujemy na obiadokolację, możemy też podać jako danie śniadaniowe. Chodzi o to, żeby nasze życie nie kręciło się tylko wokół kuchni.

PRZYKŁADOWY JADŁOSPIS

DZIEŃ PIERWSZY

Śniadanie

Dowolne owoce jagodowe posypane zmielonym siemieniem lnianym i orzechami

Lunch

Chleb ryżowy, pasta z soczewicy, rzodkiewki, sałata

Podwieczorek

Jabłka lub gruszki

Kolacja

Zapiekanka z ziemniaków i soczewicy, marchew duszona z majerankiem lub surówka z marchwi z porem

DZIEŃ DRUGI

Śniadanie

Koktajl brzoskwiniowo-bananowy

Lunch

Sałatka jarzynowa, bezglutenowy chleb ryżowy lub inny

Podwieczorek

Maliny

Kolacja

Ryba z grzybami mun i kukurydzą, surówka z selera z rodzynkami

Dla wegan:

Tofu w sosie słodko-kwaśnym, surówka z selera z rodzynkami

DZIEŃ TRZECI

Śniadanie
Komosa ryżowa z warzywami na parze

Lunch
Naleśniki z mąki z ciecierzycy z nadzieniem z pieczarek

Podwieczorek
Czereśnie lub inne owoce sezonowe

Kolacja
Indyk w sosie słodko-kwaśnym, dowolna surówka

Dla wegan:

Zupa fasolowa z glonem wakame

DZIEŃ CZWARTY

Śniadanie
Sałatka owocowa

Lunch
Soczewica po arabsku, surówka z marchwi z porem

Podwieczorek
Migdały lub inne orzechy

Kolacja
Faszerowana cukinia
Surówka z sałaty, pora i kukurydzy

DZIEŃ PIĄTY

Śniadanie
Komosa ryżowa z malinami

Lunch
Zupa kalafiorowa z koperkiem

Podwieczorek
Brzoskwinie

Kolacja
Gołąbki z ryżem i soczewicą, sos pomidorowy
Kuleczki orzechowo-czekoladowe

DZIEŃ SZÓSTY

Śniadanie
Gorące śniadanie siemieniowo-orzechowe z borówkami

Lunch
Kotlety z ciecierzycy, szpinak duszony z ziarnem sezamu

Podwieczorek
Galaretka na agarze z jagodami

Kolacja
Ryż z marchwią i oliwkami, surówka z awokado, rzodkiewki i sałaty

DZIEŃ SIÓDMY

Śniadanie
Pudding ryżowy

Lunch
Barszcz z buraków i fasoli

Podwieczorek
Gruszki

Kolacja
Łosoś zapiekany ze szpinakiem, surówka z marchwi z porem

Dla wegan:

Sajgonki, surówka z marchwi z porem

Rozdział 19

PRZEPISY

Zboża

W kuchni bezglutenowej wykorzystujemy przede wszystkim bogactwo warzyw i owoców, które będą stanowić podstawę diety. Z ziaren zbóż niezawierających glutenu można wykorzystywać: amarantus, kukurydzę, komosę ryżową, ryż – różne odmiany, dziki ryż, proso (kaszę jaglaną). Ziarna powinny być nieoczyszczone, gdyż to właśnie ich łuska obfituje w różnorodne składniki mineralne i witaminy. Niestety, część osób z celiakią i nietolerancją glutenu może niekorzystnie reagować również na inne zboża – wtedy trzeba obserwować organizm i dostosować dietę do preferencji indywidualnych.

ZUPA RYŻOWA

Zupa ryżowa jest łatwostrawna, dlatego podaje się ją często osobom po przebytych chorobach. Do takiej zupy można pod koniec gotowania dodać różne warzywa, przyprawy, sól. Można też spożywać samą, w szczególności jako element diety oczyszczającej lub rodzaj postu. Ze względu na długi czas gotowania zupy ryżowej potrzebny będzie garnek z dobrze dopasowaną pokrywką.

3 porcje

½ szklanki opłukanego pełnoziarnistego ryżu
4 szklanki wody

1. Ryż wsyp do głębokiego garnka.
2. Zalej wodą i zagotuj.
3. Przykryj dosyć ciężką pokrywką. Gotuj na wolnym ogniu od 2 do 4 godzin.

ZBOŻA BEZGLUTENOWE GOTOWANE NA SYPKO

Aby ugotować zboże na sypko, potrzebne będzie 2–2,5 razy tyle wody, ile używamy kaszy. Dokładane ilości dla poszczególnych ziaren przedstawiono w tabeli 4. Zboża na sypko możemy przygotowywać w następujący sposób:

1. Ziarno przepłucz.
2. Wsyp do garnka i zalej odpowiednią ilością wody (zob. tabela 4).
3. Zagotuj. Zmniejsz płomień i gotuj, aż ziarna będą miękkie (zob. tabela 4).
4. Po ugotowaniu w celu uzyskania lepszych walorów smakowych można postawić ugotowane zboże na godzinę w ciepłym miejscu. Taka kasza jest bardzo sypka i nawet po kilku godzinach zachowuje ciepło.

5. Aby uzyskać bardziej rozgrzewające właściwości zboża, można je przed gotowaniem dodatkowo wyprażyć na suchej patelni.
6. Jeżeli chcemy, żeby ziarno było lżej strawne, można je namoczyć na 12 godzin przed przystąpieniem do obróbki kulinarnej.

Tab. 4. Ilość wody oraz przybliżony czas gotowania zbóż bezglutenowych na sypko

Rodzaj zboża	**Ilość wody użytej do gotowania**	**Czas gotowania**
Amarantus	1 objętość zboża na 2 objętości wody	około 15 minut
Kasza gryczana	1 objętość kaszy na 2 objętości wody	około 20 minut
Kasza jaglana	1 objętość kaszy na 2½ objętości wody	25–30 minut
Komosa ryżowa (quinoa)	1 objętość zboża na 2 objętości wody	15–20 minut
Ryż pełnoziarnisty	1 objętość ryżu na 2 objętości wody	50–60 minut
Ryż czerwony (brązowy)	1 objętość ryżu na 2 objętości wody	50–60 minut

Źródło: materiały własne.

ŚNIADANIA

GORĄCE ŚNIADANIE SIEMIENIOWO-ORZECHOWE Z BORÓWKAMI

1 porcja

Bardzo sycące i odżywcze śniadanie, które można przygotować dosłownie w kilka minut. Mleko sojowe można zastąpić innym rodzajem mleka roślinnego.

½ szklanki mleka sojowego
4 łyżki zmielonego siemienia lnianego
2 łyżki posiekanych orzechów włoskich
1 szklanka borówek amerykańskich, czarnych jagód lub innych owoców jagodowych

1. W garnku zagotuj mleko sojowe, dodaj siemię lniane i orzechy. Gotuj 1–2 minuty.
2. Na końcu dodaj borówki amerykańskie i wymieszaj.

KOKTAJL BANANOWO-BRZOSKWINIOWY

1 porcja

4 dojrzałe i słodkie brzoskwinie
1 banan
100 ml mleka roślinnego lub wody

1. Owoce włóż do blendera o wysokiej mocy i zmiksuj na gładką masę.
2. Następnie dolej mleka roślinnego lub wody, aby otrzymać pożądaną konsystencję.

KOKTAJL JAGODOWO-SZPINAKOWY

1 porcja

1 szklanka czarnych jagód lub innych owoców jagodowych
10 dag liści szpinaku
1 łyżka siemienia lnianego
100 ml mleka roślinnego lub wody

1. Jagody, szpinak i siemię lniane włóż do blendera o wysokiej mocy i zmiksuj na gładką masę.
2. Następnie mleka roślinnego lub wody, aby uzyskać pożądaną konsystencję.

KASZA JAGLANA Z RODZYNKAMI I ORZECHAMI WŁOSKIMI

1–2 porcje

½ szklanki kaszy jaglanej
1⅓ szklanki wody
szczypta imbiru
szczypta cynamonu
3 orzechy włoskie
3 łyżki rodzynek

1. Kaszę jaglaną wsyp do garnka i zalej wodą. Przypraw imbirem i cynamonem.
2. Gotuj około 10 minut, a następnie dodaj pokrojone orzechy włoskie i rodzynki.
3. Gotuj na wolnym ogniu do miękkości.

KOMOSA RYŻOWA Z MORELAMI

1–2 porcje

5–6 suszonych moreli
1½ szklanki wody (do ugotowania komosy)
½ szklanki komosy ryżowej
plasterek świeżego imbiru

1. Morele włóż do niedużego naczynia i zalej wrzątkiem. Odstaw na 10 minut do namoczenia. Następnie odcedź i pokrój w paski.
2. Do wrzącej wody wsyp komosę ryżową i dodaj morele oraz imbir. Gotuj na wolnym ogniu około 20 minut.

RYŻ CZERWONY Z WARZYWAMI

Ryż z warzywami przygotowujemy z wcześniej ugotowanego ryżu i świeżych podgotowanych lub podsmażonych warzyw. Rodzajów i sposobów przygotowania takiego ryżu może być bardzo wiele, zależnie od rodzaju użytych warzyw i przypraw. W przepisie wykorzystałam brokuły i marchew.

2 porcje

woda
2–3 marchwie drobno pokrojone
½ brokułu podzielonego na różyczki
2–3 szklanki ugotowanego pełnoziarnistego czerwonego ryżu
sól, pieprz

1. Na rozgrzaną patelnię wlej tyle wody, żeby przykryła dno naczynia, włóż marchew oraz brokuły i poddusź do miękkości. Podlewaj wodą w miarę jej odparowywania.
2. Następnie wsyp ryż i obsmażaj 1–2 minuty, od czasu do czasu mieszając.
3. Potrawę dopraw solą i pieprzem.

SAŁATKA OWOCOWA

1 porcja

1 banan pokrojony w plasterki
½ pojemnika (10 dag) borówek amerykańskich
½ pojemnika (10 dag) truskawek
2 łyżki posiekanych orzechów lub migdałów

1. Owoce wymieszaj.
2. Posyp orzechami.

PUDDING RYŻOWY

Pudding ryżowy najlepiej przyrządzić z ryżu, który pozostał z poprzedniego dnia. Stanowi on pyszne i szybkie w przygotowaniu danie śniadaniowe.

1 porcja

1 szklanka ugotowanego ryżu
½ szklanki mleka ryżowego, sojowego lub innego roślinnego
1 dojrzały banan
¼ łyżeczki cynamonu

1. Do rondelka włóż ryż, wlej mleko, dodaj banana i cynamon.
2. Zmiksuj wszystko za pomocą ręcznego blendera.
3. Następnie rondelek postaw na ogniu i gotuj około 5 minut, aż do lekkiego zgęstnienia puddingu.

AMARANTUS Z POREM I MARCHWIĄ

2 porcje

1 szklanka ziaren amarantusa
2 szklanki wody (do ugotowania amarantusa)
2 łyżki oleju
1 cebula drobno posiekana
3 średnie marchwie starte na tarce o dużych oczkach
1 szklanka wody (do uduszenia warzyw)
1 por pokrojony w krążki
sól

1. Amarantus wsyp do garnka, zalej wodą i zagotuj.
2. Przykryj dobrze dopasowaną pokrywką i gotuj na bardzo wolnym ogniu pod przykryciem około 15 minut. Po tym czasie amarantus powinien być ugotowany.
3. Na głębokiej patelni rozgrzej olej i zeszklij cebulę, potem dodaj marchew, wlej wodę i duś około 10 minut. Następnie dodaj pora i duś jeszcze 5 minut. Kiedy warzywa będą miękkie, wymieszaj je z ugotowanym amarantusem. Potrawę przypraw solą.

KOMOSA RYŻOWA Z MALINAMI LUB INNYMI MIĘKKIMI OWOCAMI

2 porcje

1 szklanka komosy ryżowej
3 szklanki wody
1 szklanka malin lub borówek amerykańskich, truskawek itp.

1. Komosę wsyp do garnka. Zalej wodą i zagotuj.
2. Zmniejsz płomień i gotuj na bardzo wolnym ogniu pod przykryciem około 15 minut.
3. Kiedy będzie gotowa, dodaj świeże maliny i wymieszaj.

POLENTA

2 porcje

2 szklanki wody
½ szklanki kaszy kukurydzianej
szczypta soli

1. Do wrzącej wody wsyp kaszę kukurydzianą, dodaj sól i gotuj na wolnym ogniu, stale mieszając. Ciągłe mieszanie jest bardzo ważne, gdyż w przeciwnym razie kasza pryska i tworzą się grudki. Kaszę gotuj, aż będzie miękka. Czas gotowania zależy od jej rodzaju i może wynieść 10–40 minut. Większość dostępnych na rynku kasz jest gotowa już po 10 minutach. Ugotowana kasza powinna mieć gęstą, papkowatą konsystencję i odstawać od ścianek garnka.
2. Gorącą kaszę przełóż do dużego płaskiego talerza, który wcześniej trzeba skropić zimną wodą. Może to być inne płaskie naczynie lub deska, na której polenta wystygnie. Dzięki skropieniu zimną wodą polentę będzie łatwiej wyjąć z naczynia, w którym zastygła. Można ją wtedy kroić na kawałki i podawać jako samodzielne danie lub z dodatkami. Pokrojona w trójkąty lub inne kształty nadaje się też do zapiekania i odsmażania.

ZUPY

BULION WARZYWNY

Buliony warzywne są prawdziwą skarbnicą mikroelementów i doskonale wzmacniają kości oraz cały organizm. Optymalnie byłoby, gdyby warzywa użyte do przygotowania bulionu pochodziły z upraw ekologicznych. Mogą być mniejsze czy mniej atrakcyjne wizualnie, gdyż i tak się je potem wyrzuca. Natomiast ich jakość jest bardzo ważna, ponieważ hodowane z użyciem dużej ilości chemii rolnej mogą zawierać pozostałości szkodliwych dla zdrowia pestycydów oraz nawozów sztucznych, które podczas gotowania będą przenikały do bulionu.

8 porcji

2½ litra wody
2 marchwie
2 pietruszki
1 cm świeżego imbiru
2 ząbki czosnku
1 cebula
kawałek selera
10 ziaren pieprzu
10 ziaren jałowca
3–4 liście laurowe

1. W dużym garnku zagotuj wodę, włóż obrane warzywa i dodaj przyprawy.
2. Zmniejsz płomień i gotuj pod przykryciem 2–4 godziny. Następnie odcedź wszystkie części stałe.

ZUPA Z BURAKÓW I FASOLI

Do przygotowania barszczu użyłam buraków wcześniej ugotowanych, ale można też wykorzystać surowe buraki, które trzeba obrać i drobno pokroić, po czym dodać na początku gotowania do fasoli. Wspaniały aromat nadają zupie goździki. Gotowanie zupy z glonem kombu wzbogaci jej skład o wiele cennych minerałów, zwłaszcza wapń.

8 porcji

2 litry wody
1 szklanka białej fasoli
2 kawałki glonu kombu o długości około 5 cm
2 liście laurowe
60 dag buraków
2–3 ziarna ziela angielskiego
10 dag białej kapusty
4–5 goździków
4 ziarna ziela angielskiego

Przygotowanie:
Dzień przed gotowaniem barszczu namocz fasolę w wodzie (przynajmniej na 12 godzin), dzięki czemu szybciej będzie miękka i lżej strawna. Następnie fasolę odsącz z wody, w której się moczyła.

1. Zagotuj wodę i wsyp odsączoną fasolę, dodaj glon kombu oraz liście laurowe. Gotuj pod przykryciem około 40 minut.
2. Buraki ugotuj lub upiecz w łupinach do miękkości. Następnie obierz i zetrzyj na tarce o dużych oczkach.
3. Po 40 minutach do gotującej się fasoli dodaj drobno pokrojone buraki, cienko poszatkowaną kapustę, goździki, ziele angielskie. Gotuj jeszcze około 15 minut (do miękkości wszystkich składników).
4. Z zupy wyjmij glon kombu i go wyrzuć.

ZUPA „ZIELONO MI"

6 porcji

2 litry wody
1 duża (50 dag) cukinia pokrojona w plasterki
5 szklanek różyczek brokułów
1 por pokrojony w krążki
sól
¼ łyżeczki pieprzu

1. Zagotuj litr wody (połowę całości) i włóż pokrojoną cukinię oraz 4 szklanki różyczek brokułów (szklankę brokułów odłóż na później).
2. Gotuj około 20 minut. Następnie zmiksuj dokładnie zupę do uzyskania kremowej konsystencji.
3. Do zmiksowanej zupy dodaj pokrojonego pora oraz pozostałe różyczki brokułów i zalej resztą wody.
4. Gotuj jeszcze około 6 minut. Na koniec przypraw solą i pieprzem.

ZUPA BRUKSELKOWA

Jako przyprawa do zupy brukselkowej doskonale pasuje lubczyk, można też wykorzystać estragon.

8 porcji

2 litry wody
2 marchwie pokrojone w kostkę
kawałek selera pokrojony w kostkę
40 dag brukselek oczyszczonych i przekrojonych na pół
2 ziemniaki pokrojone w kostkę
1 łyżeczka lubczyku
sól, pieprz

1. Zagotuj wodę. Włóż marchew, seler i brukselkę. Gotuj 10 minut.

2. Dodaj do zupy ziemniaki i gotuj jeszcze około 20 minut – do miękkości warzyw.
3. Przypraw do smaku lubczykiem, solą i pieprzem.

FLACZKI Z BOCZNIAKÓW

6 porcji

1 cebula drobno pokrojona
1 łyżka oleju
1½ litra wody
25 dag boczniaków pokrojonych wzdłuż włókien na cienkie paseczki grubości około ½ cm
½ średniego (10–15 dag) selera drobno pokrojonego
2 marchwie drobno pokrojone
2 łyżki majeranku
½ łyżeczki imbiru
sól, pieprz
2 łyżki mąki ryżowej rozmieszane w ½ szklanki wody

1. Cebulę zeszklij na oleju.
2. W garnku zagotuj wodę i włóż boczniaki, selera, marchew oraz podduszoną cebulę. Przykryj, zmniejsz płomień i gotuj około 25 minut.
3. Następnie przypraw majerankiem, imbirem, solą i pieprzem.
4. Mąkę ryżową rozmieszaną z wodą dodaj do gotującej się zupy. Dokładanie zamieszaj, a gdy zupa zgęstnieje, zestaw z ognia.

GROCHÓWKA Z ZIEMNIAKAMI

8 porcji

2 szklanki (40 dag) grochu w połówkach
2 litry wody
2 marchwie drobno pokrojone
1 pietruszka drobno pokrojona
kawałek selera drobno pokrojonego
½ cebuli drobno posiekanej
20–30 dag ziemniaków pokrojonych w kostkę
½ łyżeczki imbiru
2 łyżki majeranku
sól

1. Groch wsyp do garnka i zalej wodą. Gotuj około 40 minut (aż będzie prawie miękki).
2. Wszystkie warzywa dodaj do zupy i gotuj jeszcze około 15 minut.
3. Gdy składniki będą miękkie, zupę przypraw solą, imbirem i majerankiem.

ZUPA FASOLOWA Z GLONEM WAKAME

Ta pyszna zupa jest bardzo sycąca i może posłużyć jako posiłek jednogarnkowy. Glon wakame to prawdziwa skarbnica różnych mikroelementów, w szczególności wapnia. Ilość zawartego w nim wapnia przekracza dziesięciokrotnie zawartość wapnia w mleku! Glon wakame po namoczeniu jest bardzo delikatny i nie wymaga gotowania, można go natomiast krótko podgotować. Dlatego dodajemy go na samym końcu przygotowywania zupy. Bez glonu wakame zupa również się uda i będzie pyszna.

8 porcji

2½ szklanki (40 dag) drobnej białej fasoli
2 litry wody
3 liście laurowe
2 marchwie drobno pokrojone
1 pietruszka drobno pokrojona
kawałek selera drobno pokrojony
50 dag ziemniaków pokrojonych w kostkę
1 łyżeczka rozmarynu
6 listków (około 7 g) glonu wakame

Przygotowanie:
Dzień wcześniej fasolę wsyp do garnka i zalej wodą. Pozostaw na noc do namoczenia. Odcedź.

1. Odsączoną fasolę zalej świeżą wodą, dorzuć liście laurowe i gotuj około 40 minut (aż będzie prawie miękka).
2. Marchew, pietruszkę i selera dodaj do gotującej się fasoli. Gotuj 15 minut.
3. Następnie dodaj pokrojone ziemniaki i przypraw zupę rozmarynem.
4. Gotuj jeszcze około 15 minut.
5. Glony wakame zalej wodą i odczekaj chwilę, aż nasiąkną. Następnie pokrój je w paseczki i dodaj do ugotowanej zupy.

ZUPA Z CIECIERZYCY Z POREM I GLONEM KOMBU

Ciecierzyca należy do roślin strączkowych wymagających najdłuższej obróbki termicznej, dlatego trzeba pamiętać o wcześniejszym jej namoczeniu i zarezerwowaniu czasu na gotowanie. Do przygotowania zupy można też użyć ciecierzycy ugotowanej wcześniej. Przy proporcjach składników podanych w przepisie używamy 2½ szklanki ugotowanej ciecierzycy, którą trzeba zalać wodą, dodać marchew oraz kombu i dalej przygotowywać tak jak w przepisie.

8 porcji

1 szklanka ciecierzycy
2 litry wody (do ugotowania zupy)
1 szklanka wody (do namoczenia kombu)
2 listki glonu kombu o długości około 5 cm każdy
2 marchwie drobno pokrojone
1 por pokrojony w krążki
¼ łyżeczki pieprzu

Przygotowanie:
Ciecierzycę wsyp do garnka i zalej wodą. Pozostaw na noc do namoczenia. Odcedź.

1. Glony kombu zalej wodą i odstaw na 40 minut do namoczenia. Pokrój w małe kwadraciki o boku około 1 × 1cm.
2. Odsączoną ciecierzycę zalej świeżą wodą i gotuj około 2 godzin (aż będzie prawie miękka).
3. Marchew dodaj do gotującej się zupy razem z przygotowanym glonem kombu oraz wodą, w której się moczył. Gotuj jeszcze około 30 minut.
4. Dodaj pora i gotuj zupę jeszcze około 8 minut. Por gotuje się dosyć szybko i chodzi o to, by był miękki, ale jednocześnie zachował delikatną ostrość smaku.
5. Zupę przypraw pieprzem.

ZUPA KALAFIOROWA Z KOPERKIEM

8 porcji

2 litry wody
3 średnie marchwie drobno pokrojone
1 pietruszka drobno pokrojona
2 liście laurowe
4 ziarna ziela angielskiego
50 dag ziemniaków pokrojonych w kostkę
½ średniego kalafiora pokrojonego na różyczki
¼ łyżeczki pieprzu
1 łyżeczka lubczyku
sól
3–4 łyżki posiekanego koperku

1. W dużym garnku zagotuj wodę i włóż marchew, pietruszkę oraz liście laurowe i ziele angielskie. Gotuj na wolnym ogniu około 20 minut.
2. Do gotującej się zupy dodaj ziemniaki i kalafiora, przypraw pieprzem i lubczykiem.
3. Gotuj jeszcze 15 minut – po tym czasie warzywa będą miękkie.
4. Ugotowaną zupę posól do smaku i posyp świeżym koperkiem.

ZUPA Z DYNI

6 porcji

1 kg dyni
1 litr wody
2 cebule drobno pokrojone
½ łyżeczki pieprzu
1 łyżeczka kurkumy
2–3 łyżki posiekanej natki pietruszki

1. Dynię rozkrój na pół, usuń środek z pestkami. Miąższ odkrój od skórki i pokrój w kostkę.
2. Zagotuj ½ litra wody (2 szklanki) i włóż pokrojoną dynię oraz cebulę.
3. Zagotuj, przykryj i gotuj na wolnym ogniu 20 minut. Następnie zmiksuj. Dolej resztę wody. Przypraw pieprzem i kurkumą. Wymieszaj i ponownie zagotuj.
4. Zupę posyp natką pietruszki.

ZUPA Z CZERWONEJ SOCZEWICY I RYŻU

Zupa wychodzi gęsta i śmiało można ją potraktować jako jednogarnkowy posiłek obiadowy. Soczewica to idealny składnik zup, gdyż szybko i bardzo łatwo się rozgotowuje. Z przypraw użyłam majeranku i kurkumy. Dobry efekt smakowy uzyskamy, dodając 1–2 łyżeczki świeżego posiekanego imbiru.

6 porcji

2 litry wody
1 szklanka czerwonej soczewicy w połówkach
½ szklanki pełnoziarnistego ryżu
1 cebula drobno pokrojona
1 łyżeczka kurkumy
1 łyżeczka majeranku
sól
¼ łyżeczki pieprzu

1. Zagotuj wodę i wsyp soczewicę oraz ryż.
2. Cebulę dodaj do gotującej się zupy. Gotuj pod przykryciem około 40 minut (aż soczewica i ryż będą miękkie).
3. Na kilka minut przed końcem gotowania przypraw kurkumą, majerankiem, solą i pieprzem do smaku.

Chleby bezglutenowe

Do wypieku chleba dostępnego w większości sklepów i piekarni używa się głównie mąki pszennej i żytniej. Obydwie mąki zawierają gluten, dlatego chleby te nie nadają się do spożycia przez osoby na diecie bezglutenowej. Można jednak przygotowywać chleby z mąk niezawierających glutenu. Nie wyrastają one tak jak chleb z mąk glutenowych, gdyż to właśnie gluten nadaje ciastu sprężystość oraz bardzo dobrze utrzymuje powstający podczas fermentacji drożdżowej dwutlenek węgla, dzięki czemu ciasto uzyskuje porowatą strukturę. Jednak chleby takie, przygotowywane na naturalnym zakwasie, również wyrastają, wprawdzie w mniejszym stopniu, i są bardzo smaczne.

Z całą pewnością chleb i wszelkiego rodzaju wypieki, takie jak bagietki, bułeczki, rogale, bajgle, nawet te z pełnoziarnistej mąki, są rodzajem fast foodu. Zboża gotowane korzystniej wpływają na organizm człowieka niż chleb. Dlatego dobrze jest wykorzystywać zamiast chleba przede wszystkim różne rodzaje kasz bezglutenowych i ryż, natomiast chleb, nawet ten bezglutenowy, starać się spożywać tylko w ostateczności.

CHLEB RYŻOWY Z SIEMIENIEM LNIANYM NA ZAKWASIE RYŻOWYM

Chleb na naturalnym zakwasie przygotowujemy w dwóch etapach: na początku nastawiamy zakwas, a gdy jest on już gotowy, robimy na nim chleb, dodając odpowiednią ilość mąki i wody. Czasami zdarza się, że zakwas podczas wyrastania ulegnie zakażeniu pleśnią. Nie nadaje się wtedy do spożycia i trzeba go wyrzucić. Natomiast można zapobiec niechcianym procesom psucia się zakwasu przez dokładane wyparzenie naczynia oraz łyżki użytych do jego przygotowania. Z podanej ilości otrzymamy ciasto chlebowe na jedną podłużną blaszkę, tzw. keksówkę.

Zakwas ryżowy

Przygotowanie:

Wysterylizuj we wrzącej wodzie naczynie oraz łyżkę do przygotowania zakwasu.

trochę więcej niż ½ szklanki pełnoziarnistej mąki ryżowej
½ szklanki wody
1 łyżeczka soku z cytryny

1. W wysterylizowanym naczyniu wymieszaj mąkę ryżową, wodę i sok z cytryny. Ciasto powinno mieć gęstość śmietany.
2. Następnie przykryj naczynie ściereczką z naturalnej tkaniny – lnianą lub bawełnianą – która zapewni powstającemu zakwasowi dostęp powietrza. Tak przygotowany zakwas odstaw w ciepłe miejsce na 3–4 dni. Gotowy zakwas wytwarza bąbelki i ma wyraźnie kwaśny aromat. Nadaje się wtedy do przygotowania chleba i innych wypieków.

NAPAR Z SIEMIENIA LNIANEGO

3 łyżki siemienia lnianego
trochę mniej niż 1 szklanka wody

1. Siemię lniane zmiel, wsyp do szklanki i zalej wrzącą wodą (do wypełnienia całej szklanki).
2. Odstaw do wystygnięcia.

CHLEB RYŻOWY Z SIEMIENIEM LNIANYM

przygotowany zakwas ryżowy
45 dag (3 szklanki) mąki ryżowej
przygotowany napar z siemienia lnianego
1¼ szklanki wody
1 łyżeczka soli

1. Mąkę wymieszaj z zakwasem, naparem z siemienia lnianego, wodą i solą. Wyrób ciasto, które powinno mieć luźną konsystencję – luźniejszą niż ciasto na pierogi. Podczas wyrabiania powinno przylegać do palców.
2. Gotowe ciasto odstaw w ciepłe miejsce, by urosło. Po upływie 4–5 godzin ciasto zwiększy objętość.
3. Wąską blaszkę do chleba razowego lub keksu o wymiarach 9 × 32 cm wysmaruj tłuszczem. Przełóż do niej podrośnięte ciasto i postaw w ciepłym miejscu na kolejnych kilka godzin, by podwoiło objętość.
4. Gdy ciasto wyrośnie, piecz około 40 minut w temp. 220°C, a następnie około 25 minut w temperaturze 200°C.

Potrawy z roślin strączkowych i tofu na ciepło

Gotowanie roślin strączkowych

Rośliny strączkowe są bardzo wartościowym składnikiem diety, pod warunkiem że zostaną odpowiednio przygotowane. Najtrudniejsza do strawienia jest soja. Dlatego powinniśmy ją spożywać w postaci sfermentowanej: tofu, tempeh, miso lub kiełków sojowych.

- Rośliny strączkowe trzeba przed gotowaniem namaczać, najlepiej na noc, przynajmniej na 12 godzin. Podczas namaczania nasiona zwiększają objętość i rozpoczyna się proces kiełkowania. W procesie tym jest eliminowany kwas fitynowy, dzięki czemu mikroelementy mogą łatwiej wchłaniać się w przewodzie pokarmowym. Namaczanie powoduje też, że rośliny strączkowe szybciej się gotują. Wodę z namaczania odlej i przed gotowaniem zalej rośliny strączkowe świeżą wodą. W wodzie, w której się moczyły, pozostają związki odpowiedzialne za wytwarzanie gazów. Do namoczenia strączków na jedną objętość nasion używamy czterech objętości wody.
- Podczas gotowania dodaj nasiona kopru włoskiego, kminek oraz wodorosty morskie. Pomagają one uniknąć gazów po spożyciu roślin strączkowych.
- Po pierwszym zagotowaniu dobrze jest zdjąć pokrywkę na 20–25 minut, aby gazy się ulotniły. Potem znów przykryj garnek.
- Sól dodaj na samym końcu gotowania, gdyż dodana wcześniej spowoduje, że rośliny strączkowe nie ugotują się dokładnie.

Tab. 5. *Przybliżony czas gotowania roślin strączkowych na wolnym ogniu, po wcześniejszym namoczeniu*

Rośliny strączkowe	**Czas gotowania**
Ciecierzyca	1½–2 godziny
Fasola adzuki	45 minut
Fasola biała	1–1½ godziny
Fasola czarna	około 1 godziny
Fasola mung	30–45 minut
Groch łuskany	½–1 godzina
Soczewica	20–30 minut
Soja	2–2½ godziny

Źródło: materiały własne.

GOTOWANIE SUCHYCH ROŚLIN STRĄCZKOWYCH (CIECIERZYCY, FASOLI BIAŁEJ, CZARNEJ, INNYCH ODMIAN) – PRZEPIS PODSTAWOWY

fasola, zimna woda
kawałek kombu,
½ łyżeczki kminku lub kopru włoskiego

1. Fasolę namocz na 12 godzin, biorąc na 1 szklankę fasoli 4 szklanki wody. Wodę z moczenia odlej, gdyż przenikają do niej związki powodujące powstawanie gazów.
2. Na dnie garnka, w którym będzie się gotowała fasola, połóż kawałek glonu kombu (niekoniecznie). Wsyp odsączoną fasolę i zalej świeżą wodą, by przykryła ziarna na wysokość około 4 cm. Dodaj kminek lub koper włoski.
3. Zagotuj, zbierz burzyny z wierzchu i 20 minut gotuj bez przykrycia. Potem garnek przykryj i gotuj na wolnym ogniu, aż ziarna będą miękkie. Minimalny czas gotowania poszczególnych roślin strączkowych przedstawiono w tabeli 5.

FASOLA BIAŁA W SOSIE POMIDOROWYM

8 porcji

40 dag fasoli Piękny Jaś

Przygotowanie:
40 dag (2½ szklanki) fasoli Piękny Jaś namocz na noc w zimnej wodzie. Następnie odcedź.

1. Do garnka wsyp odsączoną fasolę i zalej 3–4 szklankami zimnej wody. Zagotuj. Zbierz burzyny z wierzchu i 20 minut gotuj bez przykrycia.
2. Potem garnek przykryj i gotuj na wolnym ogniu pod przykryciem około 1 godziny.
3. Po ugotowaniu fasolę odcedź.

Sos
1 kg pomidorów sparzonych, obranych ze skórki i pokrojonych
1 cebula drobno posiekana
duża szczypta chili
2 łyżki słodkiej papryki

1. W garnku zagotuj 3 szklanki wody, a następnie włóż pomidory, cebulę i chili. Gotuj wszystko około 25 minut. Gdy sos będzie gotowy, przypraw słodką papryką.
2. Sos dodaj do przygotowanej wcześniej fasoli. Wymieszaj i zagotuj.

SOCZEWICA PO ARABSKU

Danie równie smaczne, jak szybkie w przygotowaniu. Można jeść je jako samodzielną potrawę albo jako dodatek do ryżu czy kaszy.

4 porcje

3 szklanki wody
1 szklanka soczewicy
3 ziemniaki pokrojone w kostkę
4 cebule drobno posiekane
3 ząbki czosnku przeciśnięte przez praskę
5 pomidorów sparzonych, obranych ze skórki i pokrojonych w kostkę
kawałek (długości 1–2 cm, grubości 1 cm) świeżego imbiru drobno posiekanego
2 łyżeczki słodkiej papryki
1 łyżka soku z cytryny
sól

1. W głębokim rondlu zagotuj wodę. Włóż soczewicę, ziemniaki, cebulę oraz czosnek. Zagotuj i duś pod przykryciem 10 minut.
2. Pokrojone pomidory dodaj po 10 minutach do gotującej się potrawy.
3. Duś jeszcze 15 minut (w sumie około 25 minut).
4. Przypraw świeżym imbirem, słodką papryką, sokiem z cytryny i solą.

GULASZ Z CIECIERZYCY

Gulasz przygotujemy najszybciej, gdy użyjemy ugotowanej wcześniej ciecierzycy.

4 porcje

3 szklanki wody
3 szklanki ugotowanej ciecierzycy (około 1 szklanki suchej ciecierzycy)
1 cukinia średniej wielkości pokrojona w półplasterki
1 por pokrojony w krążki
1 łyżeczka świeżego posiekanego imbiru
1 łyżeczka kurkumy
1 łyżeczka kolendry
½ łyżeczki cynamonu

1. Zagotuj wodę, włóż ugotowaną wcześniej ciecierzycę oraz cukinię i gotuj 10 minut.
2. Pora dodaj do gotujących się warzyw. Przypraw imbirem, kurkumą, kolendrą i cynamonem.
3. Duś jeszcze 10 minut.

KAPUSTA Z GROCHEM

6 porcji

50 dag białej kapusty cienko poszatkowanej
2½ szklanki wody (do ugotowania kapusty)
5 ziaren ziela angielskiego
2 liście laurowe
1½ szklanki grochu w połówkach
2½ szklanki wody (do ugotowania grochu)
1 łyżka majeranku
pieprz

1. Kapustę zalej wodą i zagotuj. Przypraw zielem angielskim i liśćmi laurowymi.
2. Zmniejsz płomień, przykryj i gotuj około 40 minut.
3. Groch zalej wodą i ugotuj do miękkości (około 30 minut).
4. Następnie połącz kapustę i groch, wymieszaj i gotuj jeszcze przez chwilę. Pod koniec gotowania przypraw majerankiem i pieprzem.

TOFU Z GRZYBAMI SHIITAKE, GROSZKIEM I PAPRYKĄ

Grzyby shiitake mają wiele udowodnionych właściwości zdrowotnych, zwłaszcza przeciwnowotworowych, dlatego warto je wykorzystywać w kuchni. Do przygotowania potrawy użyłam suszonych grzybów shiitake, ale świeże sprawdzą się równie dobrze.

4 porcje

10 grzybów shiitake
40–50 dag tofu
6–7 łyżek sosu sojowego
½ szklanki wody
1 szklanka zielonego groszku
1 duża czerwona papryka
1 łyżka mąki kukurydzianej rozmieszana w ½ szklanki wody
½ łyżeczki imbiru

1. Grzyby shiitake zalej wrzącą wodą i odstaw przynajmniej na 30 minut do namoczenia. Następnie odsącz i pokrój w paseczki. Jeżeli używasz świeżych grzybów, trzeba je tylko pokroić.
2. Tofu pokrój w słupki 1 × 2 cm i zalej sosem sojowym. Odstaw na 15 minut.
3. Na rozgrzaną patelnię wlej pół szklanki wody i wrzuć grzyby shiitake, groszek i paprykę pokrojoną w paseczki. Duś 7–10 minut.
4. Mąkę kukurydzianą rozmieszaną z wodą dodaj do gotującej się potrawy.
5. Na końcu dodaj 40–50 dag tofu pokrojonego w słupki. Wymieszaj delikatnie, by nie pokruszyć tofu. Przypraw imbirem.

TOFU W SOSIE SŁODKO-KWAŚNYM

Serek tofu dobrze komponuje się z różnymi sosami o wyrazistym smaku, gdyż sam ma bardzo delikatny smak.

4 porcje

30 dag tofu pokrojonego w kostkę
2 szklanki wody
3 średnie marchwie drobno pokrojone
1 czerwona papryka pokrojona w paseczki
½ ananasa obranego ze skóry i pokrojonego w kostkę
1 łyżeczka koncentratu pomidorowego
1 łyżka mąki ziemniaczanej rozmieszana w ½ szklanki wody

1. Tofu włóż do naczynia żaroodpornego, wstaw do piekarnika i piecz około 30 minut w temperaturze 200°C, przewracając na drugą stronę w połowie pieczenia.
2. W rondlu zagotuj wodę, włóż marchew i gotuj 5 minut. Następnie dodaj paprykę i ananasa oraz koncentrat pomidorowy. Zagotuj i duś około 5 minut.
3. Mąkę ziemniaczaną rozmieszaną z wodą dodaj do potrawy. Wymieszaj i potrzymaj na ogniu, aż zgęstnieje.
4. Następnie dodaj upieczone wcześniej tofu i wymieszaj.

TOFU PIECZONE

Do przygotowania pieczonego tofu użyłam zwykłego twardego tofu. Pieczone tofu dobrze komponuje się ze wszystkimi rodzajami gotowanych i duszonych warzyw.

4 porcje

40 dag tofu pokrojonego w plastry o grubości około 1,5 cm
2 łyżeczki curry
1 łyżeczka słodkiej papryki

1. Tofu posyp curry i słodką papryką z obydwu stron.
2. Włóż do naczynia żaroodpornego, wstaw do piekarnika i piecz około 30 minut w temperaturze 200°C, przewracając na drugą stronę w połowie pieczenia.

PASTY I PIECZENIE

PASTA Z FASOLI

2 porcje

1 szklanka ugotowanej fasoli
2–3 łyżki przegotowanej wody
sól, pieprz

1. 1 szklankę ugotowanej fasoli rozgnieć dokładnie widelcem lub zmiksuj w blenderze.
2. Następnie dodaj wodę, aby uzyskać pożądaną konsystencję pasty. Przypraw solą i pieprzem.
3. Wszystkie składniki dokładnie wymieszaj na jednolitą masę.

PASTA Z CIECIERZYCY

2 porcje

1 szklanka ugotowanej ciecierzycy
2 łyżki soku z cytryny
3–4 łyżki posiekanej natki pietruszki
sól

1. 1 szklankę ugotowanej ciecierzycy zmiksuj w blenderze lub zmiel.
2. Następnie dodaj sok z cytryny, aby uzyskać pożądaną konsystencję pasty. Przypraw solą i dodaj natkę pietruszki. Wszystkie składniki dokładnie wymieszaj na jednolitą masę.

PASTA Z SOCZEWICY

4 porcje

1 szklanka zielonej soczewicy
2 szklanki wody
½ średniej cebuli drobno posiekanej
1 łyżeczka tymianku
2 łyżeczki majeranku
sól, pieprz

1. Do garnka wsyp soczewicę, zalej wodą i zagotuj. Zmniejsz płomień i gotuj na wolnym ogniu pod przykryciem około 15 minut.
2. Cebulę dodaj do gotującej się soczewicy.
3. Gotuj jeszcze 30 minut, aby soczewica była bardzo miękka. Na kilka minut przed końcem gotowania dodaj przyprawy: tymianek, majeranek, sól i pieprz.
4. Całość rozetrzyj lub zmiksuj na jednolitą masę.

PASTA Z AWOKADO

Awokado użyte do przygotowania pasty powinno być dojrzałe i mieć charakterystyczną miękką skórkę. Jeżeli skóra jest twarda, to znaczy, że owoc jest jeszcze niedojrzały. Pasta z awokado po kilku godzinach od przygotowania traci swój intensywny zielony kolor. Dlatego najlepiej przyrządzać ją tuż przed spożyciem, a po przygotowaniu koniecznie przechowywać w lodówce.

1 porcja

1 dojrzałe awokado
1 łyżka soku z cytryny
1 ząbek czosnku przeciśnięty przez praskę
pieprz

1. Awokado przekrój na pół i usuń pestkę. Miąższ wybierz ze skórki i pokrój w kostkę.
2. Przełóż miąższ do naczynia, rozgnieć widelcem. Od razu wlej sok z cytryny (zapobiega szybkiemu utlenieniu się awokado).
3. Dodaj czosnek i przypraw do smaku pieprzem.

PIECZEŃ Z CZERWONEJ SOCZEWICY I KASZY JAGLANEJ

Soczewica to mój ulubiony składnik wegańskich pieczeni – jest bardzo smaczna i łatwo się rozgotowuje. Pieczeń można wykorzystywać zarówno jako dodatek do kanapek, jak i jako danie obiadowe. Podawana na ciepło szczególnie dobrze komponuje się z sosem koperkowym.

1 szklanka czerwonej soczewicy w połówkach
1 szklanka kaszy jaglanej
2 szklanki wody
2 marchwie drobno posiekane lub starte na tarce o dużych oczkach
1 średnia cebula drobno posiekana
3 łyżki koncentratu pomidorowego
1 łyżka majeranku
1 łyżka tymianku
1½ łyżeczki soli

1. Soczewicę i kaszę jaglaną zalej wodą, a następnie zagotuj. Dodaj marchew oraz cebulę i gotuj na wolnym ogniu około 15 minut, mieszając.
2. Pod koniec gotowania dodaj koncentrat pomidorowy, majeranek, tymianek i sól. Zestaw z ognia i dokładnie wymieszaj.
3. Masę wyłóż do wysmarowanej tłuszczem długiej blaszki o wymiarach 9 × 32 cm, wyrównaj wierzch. Piecz w temperaturze 200°C około 45 minut.

PIECZEŃ Z ZIELONEJ SOCZEWICY Z CEBULĄ

4½ szklanki wody
35 dag (2 szklanki) zielonej soczewicy w połówkach
3 średnie cebule bardzo drobno posiekane
1 szklanka mąki ryżowej
¼ łyżeczki gałki muszkatołowej
2 łyżeczki soli
1 łyżeczka pieprzu

1. Zagotuj wodę, włóż soczewicę i posiekaną cebulę. Gotuj na wolnym ogniu około 40 minut, stale mieszając, gdyż masa gęstnieje i może przywierać do dna. Pod koniec gotowania dodaj mąkę ryżową, przypraw gałką muszkatołową, solą i pieprzem. Dokładnie wymieszaj. Masa powinna być dosyć gęsta.
2. Masę wyłóż do wysmarowanej tłuszczem keksówki o wymiarach około 9 × 32 cm, wyrównaj wierzch. Piecz w temperaturze 200°C około 45 minut.

Kotlety i pulpety wegańskie

KOTLETY Z CIECIERZYCY

12 kotletów, 4 porcje po 3 kotlety
1 szklanka (20 dag) ciecierzycy
½ szklanki mąki z ciecierzycy
2 łyżeczki majeranku
1 łyżeczka bazylii
½ łyżeczki soli
2 łyżki posiekanej natki pietruszki
kilka łyżek wody

Przygotowanie:
1 szklankę ciecierzycy zalej 4 szklankami wody i pozostaw do namoczenia. Następnie odlej wodę, w której się moczyła, zalej świeżą wodą i gotuj około 1½ godziny (do miękkości). Do przyrządzenia kotletów potrzeba będzie 2½ szklanki ugotowanej ciecierzycy.

1. Odsączoną ciecierzycę rozgnieć widelcem lub zmiel, tak by powstało purée.
2. Następnie dodaj mąkę z ciecierzycy, majeranek, bazylię, sól, natkę pietruszki i tyle łyżek wody, by można było ulepić kotleciki. Wszystko dokładnie wymieszaj.
3. Masę nabieraj łyżką stołową (jedna czubata łyżka masy na jeden kotlet) i formuj nieduże kotlety. Przygotowane kotleciki obtocz w mące z ciecierzycy.
4. Smaż na rozgrzanym oleju z dwóch stron albo upiecz w piekarniku na złocisty kolor, przewracając na drugą stronę w połowie pieczenia.

KOTLETY Z TOFU Z BROKUŁAMI

4 porcje

½ średniego (około 25 dag) brokułu
20 dag tofu
2 łyżki mąki ryżowej
¼ łyżeczki imbiru
pieprz
olej do smażenia

1. Brokuł ugotuj na parze do miękkości. Odkrój twardsze i zdrewniałe części, natomiast pozostałe różyczki rozgnieć widelcem lub zmiel.
2. Tofu odsącz z zalewy i rozgnieć widelcem lub zmiel, tak by powstało purée.
3. Następnie wymieszaj rozdrobnione brokuły i tofu, dodaj mąkę ryżową, imbir, pieprz. Wszystko dokładnie wymieszaj. Jeżeli konsystencja nie jest wystarczająco zwarta, by można było ulepić kotleciki – dolej kilka łyżek wody.
4. Masę uformuj w nieduże kotlety. Każdy kotlet obtocz w mące ryżowej.
5. Smaż na rozgrzanym oleju z dwóch stron albo upiecz w piekarniku na złocisty kolor.

PULPETY Z KALAFIORA W SOSIE KOPERKOWYM

Bardzo aromatyczne wegańskie pulpety, które uwielbiają dzieci. Smak kalafiora doskonale komponuje się ze smakiem koperku.

18 pulpetów, 6 porcji po 3 pulpety

Pulpety

1 średni kalafior
50 dag ugotowanych ziemniaków
½ szklanki mąki ziemniaczanej
6 łyżek posiekanego koperku
½ łyżeczki soli
2 szklanki wody

1. Kalafior podziel na drobniejsze części i ugotuj na parze do miękkości.
2. Kalafior i ziemniaki przełóż do miski i rozdrobnij widelcem (można też zemleć w maszynce, ale kotlety wychodzą smaczniejsze, gdy wyczuwa się kawałki kalafiora).
3. Następnie dodaj mąkę ziemniaczaną, koperek i sól. Wszystkie składniki dokładnie wymieszaj.
4. Przygotowaną masę nabieraj łyżką stołową (jedna czubata łyżka masy na jeden kotlet) i formuj nieduże kotlety.
5. W głębokim i szerokim rondlu zagotuj wodę. Ułóż pulpety jeden obok drugiego i gotuj około 6 minut, przewracając na drugą stronę w połowie gotowania.
6. Wyjmij pulpety, a wodę, w której się gotowały, wykorzystaj do przyrządzenia sosu.

Sos

woda z gotowania pulpetów
3–4 łyżki posiekanego koperku
1 płaska łyżka mąki ziemniaczanej rozmieszana w ½ szklanki wody

1. Do wody z gotowania pulpetów dodaj koperek.
2. Następnie zagęść sos mąką rozmieszaną z wodą i dokładnie wymieszaj.

NALEŚNIKI, ZAPIEKANKI, MAKARONY I INNE POTRAWY WEGAŃSKIE

NALEŚNIKI Z MĄKI Z CIECIERZYCY

Naleśniki przygotowane z mąki z ciecierzycy zawsze się udają i są przepyszne, mimo że przygotowujemy je bez mąki glutenowej, jaj i mleka. Mąkę z ciecierzycy (grochu włoskiego) można kupić w sklepach ze zdrową żywnością albo samodzielnie zemleć ciecierzycę.

6–8 sztuk

2 szklanki mąki z ciecierzycy
½ łyżeczki zmielonego kminu rzymskiego (niekoniecznie)
szczypta soli
1⅓ szklanki wody
olej do smażenia

1. Do garnka wsyp mąkę z ciecierzycy, dodaj kmin rzymski i sól. Następnie porcjami dolewaj wodę i dokładnie mieszaj, aż do uzyskania ciasta o gęstości śmietany. Jeżeli jest zbyt gęste – dolej odrobinę wody, a jeśli zbyt rzadkie – dosyp trochę mąki.
2. Na gorącą patelnię nalej trochę oleju, rozprowadź go równomiernie, a następnie łyżką stołową nałóż ciasto. Na jeden naleśnik potrzeba około 3 łyżek ciasta. Ciasto trzeba szybkim ruchem rozprowadzić po patelni, a kiedy spodnia strona się zrumieni, przewrócić na drugą stronę. Podsmaż i przełóż na duży płaski talerz.
3. Nadziewaj dowolnym nadzieniem, na przykład z warzyw lub ze szpinaku.

NADZIENIE DO NALEŚNIKÓW ZE SZPINAKIEM

8 sztuk

½ szklanki wody
60 dag szpinaku dokładnie umytego i pokrojonego
1 ząbek czosnku przeciśnięty przez praskę
sól

1. W rondlu zagotuj wodę i włóż szpinak.
2. Duś na wolnym ogniu około 5 minut. Następnie dodaj czosnek i przypraw solą do smaku.
3. Gotuj jeszcze przez chwilę.
4. Nadziewaj usmażone naleśniki.

NADZIENIE DO NALEŚNIKÓW Z PIECZARKAMI

8 sztuk naleśników

4 łyżki wody
60 dag pieczarek pokrojonych w paseczki
1 duża cebula drobno posiekana
pieprz

1. Na głębokiej patelni lub w dużym rondlu zagotuj wodę i włóż pieczarki oraz cebulę.
2. Duś 15–20 minut bez przykrycia, mieszając, aby z grzybów odparowała woda.
3. Następnie przypraw pieprzem do smaku.

SAJGONKI

Sajgonki są rodzajem bezglutenowych naleśników czy krokietów, do których przygotowania używa się jako ciasta papieru ryżowego.

Po zrobieniu i wystudzeniu nadzienia (przepisy poniżej) przygotowujemy sajgonki.

Potrzebne będą:
papier ryżowy
letnia woda do namaczania papieru

Każdy płatek papieru ryżowego na chwilę zamocz w letniej wodzie. Jeżeli papier jest cienki i rozrywa się po zamoczeniu, warto każdą sajgonkę robić z dwóch listków papieru. Następnie połóż go na drewnianej desce i nałóż nadzienie na środek. Zagnij dwa przeciwległe boki do środka, a potem zawiń sajgonkę, tak jak się zawija krokiety. Przygotowane sajgonki pozostaw na 2–3 minuty do obeschnięcia. Smaż na głębokim oleju na rumiano z dwu stron.

NADZIENIE DO SAJGONEK Z MAKARONEM SOJOWYM I WARZYWAMI

18 sztuk sajgonek

10 dag makaronu sojowego nitki
½ szklanki grzybów mun
1 łyżka oliwy z oliwek
1 duża cebula drobno posiekana
2–3 marchwie drobno pokrojone
7 dużych liści kapusty pekińskiej drobno pokrojonych
1 płaska łyżeczka soli
¼ łyżeczki pieprzu
½ szklanki wody

1. Makaron sojowy zalej wrzątkiem i pozostaw na 3–4 minuty do namoczenia. Następnie makaron odcedź i pokrój na 2–3-centymetrowe kawałki.
2. Grzyby mun również zalej wrzącą wodą i zostaw na 20 minut do namoczenia. Następnie odsącz i drobno posiekaj.
3. Na dużej patelni rozgrzej oliwę i zeszklij cebulę. Następnie dodaj marchew, kapustę pekińską, makaron sojowy i grzyby mun.
4. Obsmażaj około 5 minut, ciągle mieszając (makaron sojowy bardzo łatwo przywiera do dna naczynia, w którym się smaży). Przypraw do smaku solą i pieprzem.
5. Wszystko dokładnie wymieszaj. Wystudzonym nadzieniem napełniaj papier ryżowy.

TARTA Z NADZIENIEM POROWO-CEBULOWYM

Tarta z mąki ryżowej i owsianej jest zdecydowanie bardziej krucha i delikatna w porównaniu z tartami z mąki pszennej. Tartę najlepiej jeść od razu po przygotowaniu – na gorąco. Następnego dnia ciasto staje się bardziej wilgotne, ale nadzienie porowo-cebulowe dużo traci ze swego pierwotnego aromatu.

4 porcje

Ciasto

1 szklanka mąki ryżowej
½ szklanki mąki migdałowej
¼ szklanki oleju
½ łyżeczki soli
4–5 łyżek zimnej wody

1. Wymieszaj mąkę ryżową, mąkę migdałową, olej i sól. Następnie dodaj kilka łyżek wody, aby ciasto stało się lepkie, a jednocześnie pozostało kruche.
2. Tak przygotowane ciasto wstaw do lodówki na 30 minut.

NADZIENIE Z PORÓW I CEBULI

5–6 łyżek wody
2 duże pory pokrojone w talarki
2 cebule drobno posiekane
¼ łyżeczki gałki muszkatołowej
½ łyżeczki soli
¼ łyżeczki pieprzu

1. W rondlu zagotuj wodę i włóż pory oraz cebulę. Gotuj około 10 minut, co jakiś czas mieszając. Po tym czasie pory i cebula zmiękną i stracą wiele ze swej pierwotnej ostrości.
2. Następnie przypraw gałką muszkatołową, solą i pieprzem. Dokładnie wymieszaj.

Sos

2 łyżki mąki ryżowej
1 szklanka wody
szczypta gałki muszkatołowej
szczypta soli
szczypta pieprzu

1. Na suchej patelni rozgrzej mąkę ryżową i energicznie wymieszaj, tak by nie było grudek.
2. Następnie zestaw z ognia i dolej wodę. Wymieszaj aż do uzyskania jednolitej zawiesiny.
3. Postaw z powrotem na ogień i podgrzewaj, stale mieszając, dopóki masa nie zacznie gęstnieć. Zestaw z ognia po zagotowaniu. Przypraw gałką muszkatołową, solą i pieprzem.

TARTA

Do pieczenia tarty najlepiej nadaje się forma z karbowanymi brzegami, ale może być też tortownica.

1. Wysmaruj olejem formę do pieczenia.
2. Wyłóż ciasto do natłuszczonej formy, wylepiając jej dno i boki. Ciasto jest dosyć sypkie, dlatego nie nadaje się do wałkowania. Trzeba po prostu ręcznie wylepić dno i boki formy na wysokość około 1 cm.
3. Ciasto wstaw do piekarnika i podpiecz przed nałożeniem nadzienia w temperaturze 200°C około 10 minut.
3. Następnie wyjmij z piekarnika i nałóż nadzienie porowo-cebulowe, a wierzch polej przygotowanym sosem.
4. Wstaw do piekarnika i zapiekaj 40 minut w temperaturze 200°C.

MAKARON RYŻOWY Z BROKUŁAMI

Do przygotowania tego dania użyłam makaronu ryżowego, ale może być również inny rodzaj bezglutenowego makaronu. Wierzch potrawy można posypać prażonymi nasionami sezamu – efekt smakowy i wizualny jest doskonały.

4 porcje

1 brokuł podzielony na różyczki
20 dag makaronu ryżowego
2 łyżki oliwy z oliwek
3 ząbki czosnku
sól
¼ łyżeczki pieprzu

1. Brokuł ugotuj na parze do miękkości.
2. Makaron ryżowy przygotuj według przepisu na opakowaniu. Odcedź.
3. Obierz czosnek i drobno posiekaj.
4. Na głębokiej patelni rozgrzej oliwę i podsmaż czosnek. Następnie dołóż makaron oraz brokuły i wszystko obsmażaj 1–2 minuty, stale mieszając.
5. Przypraw do smaku solą i pieprzem.

MAKARON RYŻOWY Z FASOLKĄ SZPARAGOWĄ I OLIWKAMI

Pyszne i szybkie danie, rodem z kuchni włoskiej. Idealnie komponuje się z aromatem bazylii i oregano.

4 porcje

20 dag makaronu ryżowego
50 dag zielonej fasolki szparagowej
2–3 łyżki oliwy z oliwek
½ szklanki zielonych oliwek
1 łyżeczka bazylii
1 łyżeczka oregano

1. Makaron ryżowy przygotuj według przepisu na opakowaniu. Odcedź.
2. Fasolkę szparagową pokrój na 2–3-centymetrowe kawałki i ugotuj do miękkości.
3. Do głębokiego rondla wlej oliwę i włóż ugotowaną fasolkę, oliwki pokrojone w paseczki, oregano oraz bazylię. Smaż 2–3 minuty, mieszając.
4. Następnie dodaj makaron. Obsmaż, mieszając, kilka minut.

ZAPIEKANKA Z ZIEMNIAKÓW I SOCZEWICY

Zapiekanka jest pyszna i bardzo sycąca. Warstwę spodnią i wierzchnią stanowią ugotowane i rozgniecione ziemniaki, a środek to farsz z soczewicy. Do przygotowania farszu użyłam między innymi papryki, ale zapiekanka wychodzi równie smaczna, jeżeli zamiast papryki weźmie się trochę więcej marchwi.

6 porcji

Warstwa ziemniaczana

2 kg ziemniaków
½ pęczka natki pietruszki

Farsz z soczewicy

1 szklanka czerwonej soczewicy
2¼ szklanki wody
20 dag pieczarek pokrojonych w paski
2 cebule drobno posiekane
1 marchew pokrojona na małe kawałki
2 papryki pokrojone w paski
2 łyżeczki słodkiej papryki
2 łyżeczki bazylii
1 łyżeczka soli morskiej

1. Ziemniaki obierz, ugotuj do miękkości i odcedź.
2. Natkę pietruszki drobno posiekaj i dodaj do ziemniaków. Następnie ziemniaki rozbij tłuczkiem lub rozdrobnij widelcem, mieszając z natką pietruszki.
3. Do dużego rondla lub na głęboką patelnię z pokrywką wsyp soczewicę, zalej wodą i zagotuj. Następnie dodaj pokrojone warzywa. Zagotuj, przykryj pokrywką i gotuj na wolnym ogniu około 20 minut. Soczewicę trzeba co jakiś czas mieszać, gdyż może przywierać do dna. Gotowe nadzienie soczewicowe musi być gęste, więc jeżeli jest rzadkie, trzeba zdjąć pokrywkę i odparować trochę wody.

4. Pod koniec gotowania dodaj słodką paprykę, bazylię i sól. Dokładnie wymieszaj.

Zapiekanka

1. Do zapiekania można użyć głębokiego naczynia żaroodpornego lub blaszki o wymiarach 20 × 25 cm. Naczynie wysmaruj tłuszczem i ułóż na dnie równą warstwą trochę więcej niż połowę ziemniaków. Na ziemniaki wyłóż farsz z soczewicy z warzywami, a na wierzch znów ziemniaki.
2. Piecz w temperaturze 200°C przez 40 minut.

RYŻ PEŁNOZIARNISTY PIECZONY Z MARCHWIĄ I BRUKSELKĄ

Ten sposób podania ryżu może stanowić pewne urozmaicenie w porównaniu z bardziej znanymi potrawami, takimi jak risotto czy gotowany ryż z warzywami.

3 porcje

1 szklanka ryżu pełnoziarnistego
1 średnia marchew drobno pokrojona
5–6 główek brukselki przekrojonych na pół
2 szklanki wody
½ łyżeczki soli

1. Podgrzej piekarnik do 200°C.
2. Do naczynia żaroodpornego wsyp surowy ryż, dodaj marchew i brukselkę.
3. Zalej wodą, przypraw solą i przykryj pokrywką.
4. Wstaw do piekarnika i piecz 50–60 minut.

ZAPIEKANKA Z RYŻU Z CZERWONĄ FASOLĄ

W przepisie użyłam czerwonej fasoli, ale zapiekanka wychodzi równie smaczna z kukurydzą, zielonym groszkiem lub innym rodzajem fasoli. Jest to z założenia danie ostre, przyprawiane pieprzem i chili. Aby przyrządzić łagodniejszą wersję, można dodać oregano.

4 porcje

Warzywa

½ szklanki wody
2 czerwone cebule drobno posiekane
1 papryka pokrojona w paski
2 pomidory sparzone, obrane ze skórki i pokrojone w kostkę
½ brokułu podzielonego na różyczki
2 łyżeczki słodkiej papryki
duża szczypta chili
¼ łyżeczki pieprzu

1. Na patelni zagotuj wodę, włóż cebulę, paprykę, pomidory i brokuły. Duś około 10 minut, aż płyn odparuje.
2. Pod koniec duszenia przypraw słodką papryką, chili i pieprzem.

Sos

2 łyżki mąki ryżowej
1 szklanka wody
szczypta gałki muszkatołowej
szczypta soli
szczypta pieprzu

1. Na patelni rozgrzej mąkę ryżową i energicznie wymieszaj, tak by nie było grudek.
2. Następnie zestaw z ognia i wlej wodę. Wymieszaj, aż do uzyskania jednolitej zawiesiny.
3. Postaw z powrotem na ogniu i podgrzewaj, stale mieszając, dopóki masa nie zacznie gęstnieć. Zestaw z ognia po zagotowaniu. Przypraw gałką muszkatołową, solą i pieprzem.

Zapiekanka

20 dag pełnoziarnistego ryżu
2 szklanki ugotowanej czerwonej fasoli

1. Ryż ugotuj na sypko.
2. Na dno naczynia żaroodpornego wyłóż warstwę ryżu. Na ryżu ułóż duszone warzywa, a na nich odsączoną fasolę, którą polej przygotowanym sosem.
3. Piecz w temperaturze 200°C przez 30 minut.

GOŁĄBKI Z RYŻEM I SOCZEWICĄ

Dobrze smakują z sosem pomidorowym lub pieczarkowym.

Farsz

1 szklanka (20 dag) pełnoziarnistego ryżu
2 szklanki wody (do ugotowania ryżu)
1 szklanka czerwonej soczewicy
1 cebula drobno posiekana
2 szklanki wody (do ugotowania soczewicy)
½ łyżeczki pieprzu
3 łyżeczki majeranku
½ łyżeczki kminu rzymskiego
sól

1. Ryż ugotuj do miękkości.
2. Do garnka wsyp soczewicę, dodaj cebulę, zalej wodą i gotuj do miękkości około 15 minut.
3. W dużej misce dokładnie wymieszaj ryż i soczewicę. Dodaj pieprz, majeranek, kmin rzymski i sól – wszystkie przyprawy do smaku.

Kapusta

1 główka białej kapusty o luźnych liściach o wadze 1½–2 kg (do przygotowania gołąbków nadaje się kapusta duża, ale nie zbita).

1. Kapustę włóż do dużego garnka z wrzącą wodą, w którym zmieści się cała, i gotuj około 15 minut. Po tym czasie kapustę wyjmij z garnka i oddziel ostrym nożem najbardziej zewnętrzne liście, które zmiękły. Liście odłóż, a pozostałą część kapusty gotuj dalej i gdy zewnętrzna warstwa trochę zmięknie, znów oddziel zewnętrzne liście. Można również pooddzielać poszczególne liście i zanurzać je osobno we wrzątku. Niezależnie od metody trzeba uważać, aby nie uszkodzić liści.
2. Liście przy nasadzie są sztywne, mają gruby, łykowaty nerw i trudno je zwijać. Nerw trzeba odkroić nożem i odrzucić.

Następnie, jeżeli są zdrewniałe części, roztłucz je delikatnie tłuczkiem. Liście małe i uszkodzone odłóż. Wykorzystasz je potem do wyłożenia naczynia do pieczenia gołąbków.

Gołąbki

1. Na środek każdego liścia kładź farsz z ryżu i soczewicy (2 czubate łyżki na każdego gołąbka), załóż dwa boczne brzegi do środka, a następnie zawijaj gołąbki.
2. Do pieczenia przygotowanej ilości trzeba użyć dwu naczyń żaroodpornych średniej wielkości. Dno naczynia wyłóż pozostałymi z gotowania uszkodzonym liśćmi kapusty. Przygotowane gołąbki ułóż ciasno jeden obok drugiego, tak by krawędź liścia każdego gołąbka znajdowała się od spodniej strony. Dzięki temu gołąbki nie rozpadną się podczas pieczenia. Można ułożyć je w dwu warstwach, na wierzchu kładąc warstwę uszkodzonych liści. Gołąbki zalej do połowy wysokości 2–4 szklankami wody. Przykryj pokrywką.
3. Piecz w temperaturze 200°C około 1½ godziny.

BIGOS WEGAŃSKI Z GRZYBAMI

Do bigosu można użyć różnego rodzaju grzybów, zarówno świeżych, jak i suszonych.

4 porcje

50 dag białej kapusty cienko poszatkowanej
2 marchwie starte na tarce o dużych oczkach
1 pietruszka starta na tarce o dużych oczkach
30 dag pieczarek pokrojonych w paski
10 dag grzybów shiitake namoczonych i pokrojonych w paski
20 dag boczniaków pokrojonych w paski
½ litra wody (do ugotowania kapusty, warzyw i grzybów)
5 liści laurowych
1 łyżeczka ziaren jałowca
1 szklanka ugotowanej ciecierzycy

1. Białą kapustę, rozdrobnione warzywa i grzyby włóż do garnka. Zalej wodą, zagotuj, dodaj liście laurowe i ziarna jałowca. Następnie zmniejsz płomień, przykryj i gotuj pod przykryciem 1½ godziny. Dolewaj co jakiś czas wody, tak by lekko przykrywała kapustę.
2. Dodaj ciecierzycę. Gotuj jeszcze trochę. Pod koniec gotowania przestań dolewać wodę, żeby bigos trochę zgęstniał, jednocześnie uważając, by się nie przypalił.

WARZYWA DUSZONE Z ZIEMNIAKAMI PO INDYJSKU

4 porcje

1 szklanka wody
1 kg ziemniaków pokrojonych w kostkę
30 dag (3 sztuki) marchwi pokrojonej w kostkę
½ średniego (około 45 dag) kalafiora podzielonego na różyczki
25 dag fasolki szparagowej pokrojonej na 1–2-centymetrowe kawałki
2 łyżeczki kminu rzymskiego
¼ łyżeczki pieprzu
¼ łyżeczki imbiru
1 łyżeczka kolendry
1 łyżeczka kurkumy
½ łyżeczki cynamonu

1. Na głębokiej patelni zagotuj wodę i włóż ziemniaki, marchew, kalafiora oraz fasolkę szparagową.
2. Następnie przypraw kminem rzymskim, pieprzem, imbirem, kolendrą, kurkumą, cynamonem.
3. Warzywa duś pod przykryciem na wolnym ogniu około 25 minut, mieszając i podlewając wodą, gdyby odparowała.

POTRAWY Z WARZYW I GRZYBÓW NA CIEPŁO

FASZEROWANA CUKINIA

Do przygotowania faszerowanej cukinii oraz innych faszerowanych warzyw nadają się warzywa o zbliżonej wielkości i kształcie, gdyż równomiernie poddadzą się obróbce termicznej. Zarówno pieczarki, jak i inne grzyby doskonale komponują się ze smakiem cukinii.

4 porcje
2 cukinie średniej wielkości
4–5 łyżek wody
25 dag pieczarek pokrojonych w paseczki
1 duża cebula drobno posiekana
sól
½ łyżeczki pieprzu

1. Cukinie przekrój równo wzdłuż na pół. Wydrąż część miąższu z pestkami.
2. Na głębokiej patelni lub w rondlu zagotuj wodę i włóż pieczarki, cebulę oraz wydrążony miąższ z cukinii.
3. Farsz duś bez przykrycia około 25 minut. Pieczarki i cukinia puszczą sos, który musi odparować, aby nadzienie było dość gęste. Przypraw solą i pieprzem.
4. Wydrążone cukinie napełnij nadzieniem, ułóż w naczyniu żaroodpornym i piecz bez przykrycia około 40 minut w temperaturze 200°C.

KUKURYDZA DUSZONA Z PAPRYKĄ

Dobrze smakuje z komosą ryżową, dzikim ryżem lub jako samodzielne danie podane z surówką.

4 porcje

2 kolby kukurydzy lub 1 puszka kukurydzy (400 g)
2 szklanki wody
3 pomidory sparzone, obrane ze skórki i pokrojone w kostkę
2 średnie cebule drobno posiekane
3 czerwone papryki pokrojone w paseczki
2 łyżeczki słodkiej papryki
szczypta chili
sól

1. Kolby kukurydzy ugotuj do miękkości i wybierz z nich ziarna.
2. W rondlu zagotuj wodę i włóż pokrojone pomidory, cebule, papryki oraz ziarna kukurydzy.
3. Wszystko duś pod przykryciem około 20 minut. Pod koniec gotowania przypraw słodką papryką, chili i solą.

RATATUJ

Ratatuj to lekka warzywna potrawa, którą można modyfikować w zależności od aktualnej zawartości spiżarni, wykorzystując papryki, cebule, pomidory, cukinie i inne warzywa. Dobrze smakuje jako samodzielne danie, ale można je też podać na przykład z komosą czy ryżem.

4 porcje

1 szklanka wody
75 dag papryki pokrojonej w paseczki
2 cebule drobno pokrojone
40 dag kabaczka drobno pokrojonego
3 pomidory sparzone, obrane ze skórki i pokrojone w kostkę
1 liść laurowy
1 łyżeczka bazylii
szczypta chili
sól

1. W rondlu zagotuj wodę i włóż paprykę, cebulę, kabaczka i pomidory. Dodaj liść laurowy. Duś pod przykryciem około 20 minut.
2. Na kilka minut przed końcem duszenia przypraw bazylią, chili i solą.

GULASZ Z BOCZNIAKÓW

4 porcje

1 szklanka wody
50 dag boczniaków pokrojonych w paseczki
2 średnie cebule drobno posiekane
2 małe pomidory (lub 1 duży) sparzone, obrane ze skórki i pokrojone w kostkę
1 papryka pokrojona w paseczki
2 łyżeczki słodkiej papryki
sól, pieprz

1. W rondlu zagotuj wodę i włóż boczniaki oraz wszystkie przygotowane warzywa. Gotuj pod przykryciem około 20 minut.
2. Następnie przypraw słodką papryką, solą i pieprzem. Gotuj jeszcze 2–3 minuty.

BRUKSELKA W SOSIE MARCHWIOWYM

Nie wszyscy lubią brukselkę ze względu na charakterystyczny lekko gorzkawy smak. Ten przepis jednak zadowoli najbardziej zagorzałych przeciwników brukselki, gdyż słodki sos z marchwi i cebuli przełamuje brukselkową gorycz.

4 porcje

50 dag brukselki
3 szklanki wody
1 cebula bardzo drobno posiekana
2 marchwie starte na tarce o dużych oczkach

1. Brukselki oczyść z brudnych liści. Mniejsze sztuki pozostaw w całości, a większe przekrój na pół.
2. Zagotuj wodę, włóż cebulę oraz brukselkę i duś 10 minut.
3. Marchew dodaj do brukselki i gotuj jeszcze 5–10 minut.

MARCHEW DUSZONA Z MAJERANKIEM

4 porcje

2 szklanki wody
60 dag marchwi pokrojonej w kostkę
1 łyżka majeranku

1. W niedużym garnku zagotuj wodę i włóż marchew. Duś pod przykryciem do miękkości (około 30 minut).
2. Na kilka minut przed końcem duszenia przypraw majerankiem.

BROKUŁY DUSZONE Z MARCHWIĄ W SOSIE CURRY

4 porcje

1 mały brokuł
1½ szklanki wody
40 dag marchwi pokrojonej w kostkę
2 łyżki mąki ryżowej rozmieszanej w ½ szklanki wody
1 łyżeczka curry

1. Różyczki brokułu oddziel od trzonu, który jest twardszy i dlatego trzeba gotować go dłużej niż różyczki. Z trzonu odkrój i wyrzuć zdrewniałe części, a resztę pokrój w słupki.
2. W niedużym garnku zagotuj wodę i włóż pokrojoną marchew oraz słupki brokułów. Duś pod przykryciem około 20 minut.
3. Następnie dodaj różyczki brokułów i gotuj jeszcze 5 minut.
4. Mąkę rozmieszaną z wodą wlej do warzyw. Zamieszaj, dopraw curry. Poczekaj, aż potrawa zgęstnieje, i zestaw z ognia.

SZPINAK DUSZONY Z SEZAMEM

4 porcje

½ szklanki wody
60 dag szpinaku
1 ząbek czosnku drobno posiekany
2–3 łyżki sezamu

1. W rondlu lub na dużej patelni zagotuj wodę i włóż szpinak oraz czosnek.
2. Duś na wolnym ogniu pod przykryciem do miękkości (2–3 minuty).
3. Następnie posyp sezamem.

FENKUŁ ZAPIEKANY

Jest to bardzo proste i smaczne danie z fenkułu (kopru włoskiego). Nadaje się jako samodzielna lekkostrawna przystawka lub jako dodatek do wegańskich kotletów bądź pieczeni.

4 porcje

2 fenkuły
2–3 łyżki oleju lnianego (lub innego)

1. Bulwy oczyść z górnych łodyg i pokrój pionowo w ósemki. Otrzymasz w ten sposób łódeczki z fenkułu. Jeżeli chcesz uzyskać większe kawałki, możesz pokroić bulwę w ćwiartki.
2. Następnie przygotowane kawałki ułóż w naczyniu żaroodpornym i przykryj pokrywką.
3. Wstaw do piekarnika i piecz w temperaturze 220°C do miękkości (około 40 minut).
4. Przed podaniem polej olejem lnianym.

SZPARAGI Z SOSEM Z TOFU

2 porcje

Szparagi
1 pęczek szparagów
woda

1. Szparagi obierz z dolnych zdrewniałych części.
2. Szparagi zwiąż nitką (łatwiej będzie je potem wyjąć) i włóż do wysokiego garnka główkami do góry. Wlej tyle wody, żeby po zanurzeniu szparagów główki wystawały ponad powierzchnię.
3. Gotuj na wolnym ogniu 10–20 minut w zależności od rodzaju szparagów. Najkrócej gotujemy szparagi fioletowe (około 10 minut), średnio długo – zielone (około 15 minut), a najdłużej białe (około 20 minut).
4. Po ugotowaniu szparagi wyjmij z wody.

Sos
20 dag tofu
3–4 łyżki wody (lub więcej)
1 łyżka soku z cytryny
szczypta kurkumy

1. Tofu, wodę, sok z cytryny i kurkumę zmiksuj w blenderze.
2. Przełóż do rondelka i podgrzewaj na wolnym ogniu, mieszając – nie gotuj.
3. Szparagi ułóż na talerzach i polej przygotowanym sosem.

GULASZ Z DYNI

4 porcje

1 szklanka wody
1 kg miąższu dyni pokrojonego w kostkę
1 pomidor sparzony, obrany ze skórki i pokrojony w kostkę
¼ łyżeczki pieprzu
1 łyżeczka tymianku

1. W rondlu zagotuj wodę i włóż dynię oraz pomidora.
2. Duś wszystko pod przykryciem około 15 minut.
3. Na kilka minut przed końcem duszenia przypraw pieprzem i tymiankiem.

DYNIA Z PIECZARKAMI

4–5 porcji

1 szklanka wody
1 kg miąższu dyni pokrojonego w kostkę
30 dag pieczarek pokrojonych w paseczki
1 łyżeczka rozmarynu
¼ łyżeczki pieprzu

1. W rondlu zagotuj wodę, włóż dynię oraz pieczarki i gotuj około 20 minut.
2. Pod koniec gotowania przypraw rozmarynem i pieprzem.

DYNIA MAKARONOWA PIECZONA

Dynia makaronowa to rodzaj dyni o miąższu, który po upieczeniu lub ugotowaniu rozwarstwia się na drobne nitki przypominające makaron. Dynię makaronową można jeść samą, ale znacznie lepiej smakuje z sosami: warzywnym, grzybowym, pomidorowym czy innym – podana podobnie jak makaron.

4 porcje

1 dynia makaronowa o wadze około 1½ kg
1 łyżeczka rozmarynu

1. Dynię makaronową umyj i przekrój na pół. Ma ona twardą skórkę, dlatego trzeba użyć dużego, ostrego noża. Następnie wydrąż środkowy miąższ z pestkami, pozostawiając miąższ przylegający do skórki.
2. Obydwie połówki przypraw rozmarynem.
3. Następnie ułóż je na blasze i piecz w piekarniku w temperaturze 200°C przez 1–1½ godziny, aż miąższ dyni będzie miękki i po nakłuciu widelcem zacznie rozwarstwiać się na nitki.

DYNIA ZWYCZAJNA PIECZONA

Pieczona dynia to danie, które doskonale się udaje z różnymi rodzajami przypraw. Do przyprawienia pieczonej dyni użyłam słodkiej papryki, ale równie dobrze sprawdzi się rozmaryn czy curry.

4 porcje

1 kg miąższu dyni
2 łyżeczki słodkiej papryki

1. Odkrój kawałek dyni ważący trochę więcej niż kilogram. Obierz go, oczyścić i pokrój w kostkę 2 × 2 cm. Włóż do naczynia żaroodpornego, posyp słodką papryką. Wymieszaj, tak by wszystkie kawałki dyni były przyprawione.
2. Następnie wstaw do piekarnika i piecz w temperaturze 220°C przez 35–40 minut, aż miąższ dyni będzie miękki.

FASOLKA SZPARAGOWA Z CZOSNKIEM

3 porcje

50 dag fasolki szparagowej obranej z końcówek
2 ząbki czosnku drobno posiekanego
2 łyżki oliwy z oliwek

1. Fasolkę ugotuj do miękkości. Odcedź.
2. Na głębokiej patelni rozgrzej olej, wrzuć czosnek i smaż przez chwilę. Następnie dodaj ugotowaną fasolkę szparagową. Obsmażaj, ciągle mieszając, kilka minut.

WARZYWA PO GRECKU

Warzywa po grecku prawdopodobnie niewiele mają wspólnego z kuchnią grecką. Jednakże takie właśnie warzywa przygotowuję w moim domu. Świetnie sprawdzają się zwłaszcza w chłodniejszych porach roku: jesienią i zimą.

4 porcje

2 łyżki oliwy z oliwek
2 cebule drobno posiekane
1 por pokrojony w krążki
3 marchwie drobno pokrojone
1 pietruszka drobno pokrojona
1 seler drobno pokrojony
2 pomidory (około 30 dag) sparzone, obrane ze skórki i pokrojone w kostkę
2 szklanki wody
2 liście laurowe
2 łyżeczki słodkiej papryki
sól, pieprz
2–3 łyżki posiekanej natki pietruszki

1. Na głębokiej patelni rozgrzej oliwę, włóż cebulę i pora. Obsmażaj 1–2 minuty, mieszając.
2. Następnie dodaj marchew, pietruszkę, selera, pomidory. Zalej wodą, wrzuć liście laurowe i zagotuj. Zmniejsz płomień i duś około 15 minut.
3. Gdy warzywa będą miękkie, przypraw słodką papryką, solą i pieprzem.
4. Przed podaniem posyp natką pietruszki.

WARZYWA SMAŻONE W CIEŚCIE Z MĄKI Z CIECIERZYCY (PAKORA)

Danie jest bardzo smaczne, ale trzeba mieć na uwadze, że potrawy smażone mogą stanowić jedynie dodatek do jadłospisu, a nie być jego podstawą. Usmażone w cieście warzywa można nadziewać na patyczki i podawać w formie szaszłyków.

2 porcje

Warzywa

Do smażenia w cieście nadają się różnego rodzaju warzywa w zależności od sezonu i dostępności: brukselka, fasolka szparagowa, kalafior, brokuły, bakłażan, papryka, pieczarki.

Oczyść i pokrój warzywa przeznaczone do smażenia. Brukselkę i fasolkę szparagową smaż w całości. Bakłażan i dynię pokrój w plasterki. Brokuły i kalafiora podziel na różyczki. Małe pieczarki smaż w całości, a większe przekrój na pół.

Ciasto

1½ szklanki mąki z ciecierzycy
2 łyżeczki kminu rzymskiego
2 łyżeczki kolendry
1 łyżeczka kurkumy
½ łyżeczki soli
1 szklanka zimnej wody
olej do smażenia

1. Do miski wsyp mąkę z ciecierzycy, dodaj kmin rzymski, kolendrę, kurkumę, sól i wodę.
2. Składniki ciasta wymieszaj dokładnie, tak by nie było grudek. Ciasto powinno być trochę gęstsze niż na naleśniki. Gdyby było zbyt rzadkie, dodaj trochę więcej mąki, a gdyby było zbyt gęste – wody. Chodzi o to, by ciasto nie ściekało z warzyw po zanurzeniu, a jednocześnie nie tworzyły się gęste grudki.

3. Przygotowane wcześniej warzywa zanurzaj w cieście.
4. W rondlu rozgrzej olej. Kiedy olej będzie gorący, włóż partię warzyw i smaż, aż będą złociste. Za jednym razem smaż tylko jeden rodzaj warzyw, żeby zapobiec nierównomiernemu usmażeniu się potrawy.

KALAFIOR I BROKUŁY NA PARZE

Warzywa na parze to jedno z bardzo smacznych, a zarazem szybkich w przygotowaniu dań. Przepis jest tylko propozycją – można użyć innych warzyw, na przykład marchwi lub fasolki szparagowej.

4 porcje

½ średniego kalafiora podzielonego na różyczki
½ średniego brokułu podzielonego na różyczki
1–2 łyżeczki oregano

1. Kalafiora i brokuły wypłucz i dopóki są mokre, posyp oregano.
2. Zagotuj wodę w garnku i umieść warzywa na sitku.
3. Gotuj, aż warzywa będą miękkie, czyli około 15 minut.

BOCZNIAKI SMAŻONE W CIEŚCIE Z MĄKI RYŻOWEJ

Z mąki ryżowej można przygotować panierkę, która jest doskonałym zamiennikiem tradycyjnych panierek na bazie mąki pszennej.

4 porcje

25 dag boczniaków
olej do smażenia

Ciasto
1½ szklanki mąki ryżowej
1½ szklanki zimnej wody
2 łyżeczki kminu rzymskiego
3 łyżeczki curry

1. Do miski wsyp mąkę ryżową i dodaj wodę, kmin rzymski i curry.
2. Składniki ciasta wymieszaj dokładnie, tak by nie było grudek. Ciasto powinno być trochę gęstsze niż na naleśniki. Gdyby było zbyt rzadkie, dodaj trochę więcej mąki, a gdyby było zbyt gęste – wody.
3. Boczniaki zanurzaj w cieście i smaż w głębokim oleju, aż będą złociste. Kiedy lekko się zrumienią z jednej strony, przewróć je na drugą.

WARZYWA KISZONE

Kiszonki to nieodzowny element wielu tradycyjnych kuchni, który jest bardzo starym sposobem przygotowywania, a zarazem przechowywania żywności. Nieduże ilości kiszonych warzyw regulują proces trawienia, pomagając w przywróceniu korzystnej mikroflory jelitowej, co jest szczególnie istotne w przypadku nietolerancji i alergii pokarmowych.

Do kiszenia nadają się różne warzywa, takie jak kapusta, marchew, rzodkiew, rzepa czy ogórki. Można eksperymentować też z innymi rodzajami warzyw. Kiszonki powinniśmy jadać regularnie.

KAPUSTA KISZONA

Do kiszenia najlepiej nadają się kapusty późnych odmian. Letnie odmiany (o intensywniejszym zielonym kolorze i luźniejszych liściach) po dłuższym kiszeniu mają szary kolor i lekko gorzkawy smak, dlatego można je wykorzystywać do przygotowania krótkich, 1–2-dniowych kiszonek. Dobrze by było, gdyby kapusta przeznaczona do kiszenia pochodziła ze źródeł ekologicznych, gdyż kapusta, do której wyhodowania użyto zbyt dużo chemii rolnej, może po przygotowaniu i wstępnym ukiszeniu szybko pleśnieć. Sól musi być wymieszana z kapustą równomiernie, dlatego potrzebną ilość sypiemy na kapustę warstwami. Powinno jej być 1,5–2% w stosunku do ilości kapusty. Do kiszenia kapusty można użyć kamionkowego lub szklanego naczynia, które przed włożeniem kapusty trzeba bardzo starannie wyparzyć gorącą wodą, żeby usunąć wszelkie niepożądane mikroorganizmy, mogące zaburzać proces kiszenia.

2 kg białej kapusty
2 marchwie
3 dag soli (oznakowanej, że nadaje się do kiszenia warzyw)
1 łyżeczka kminku

1. Naczynie do kiszenia kapusty bardzo dokładnie wymyj i wyparz we wrzątku.
2. Kapustę oczyść z zewnętrznych uschniętych i brudnych liści, poszatkuj drobno ostrym nożem lub na szatkownicy.
3. Marchew obierz i bardzo drobno pokrój.
4. W wyparzonym naczyniu układaj warstwami kapustę i marchew, posypując częścią soli i kminkiem.
5. Każdą warstwę kapusty posypanej solą ugniataj tak długo, aż puści sok. Dopiero wtedy możesz wkładać kolejną warstwę kapusty i znów starannie ugniatać.
6. Po włożeniu całej kapusty przykryj ją czystą lnianą ściereczką. Na ściereczce połóż talerz i przygnieć go kamieniem lub innym ciężkim przedmiotem.
7. Przez pierwsze 3–4 dni kapusta powinna stać w pomieszczeniu o temperaturze pokojowej 19–21°C. Potem, jeżeli chcesz przechować kiszonkę dłuższy czas, należy ją przenieść w chłodniejsze miejsce.

Sałatki i surówki

SURÓWKA Z BIAŁEJ KAPUSTY I MARCHWI

Ta prosta surówka doskonale oczyszcza jelito grube.

4 porcje

40 dag białej kapusty
2 marchwie
1 łyżka octu winnego
1–2 łyżki oleju lnianego
sól

1. Białą kapustę drobno poszatkuj i włóż do salaterki.
2. Marchew zetrzyj na tace o dużych oczkach i dodaj do kapusty.
3. Składniki wymieszaj i przypraw octem winnym, olejem lnianym oraz solą.

SURÓWKA Z POMIDORÓW

4 porcje

50 dag dojrzałych pomidorów pokrojonych w kostkę
1 cebula drobno pokrojona
3–4 łyżki posiekanego koperku
sól, pieprz

1. Pomidory i cebulę włóż do salaterki, dodaj koperek.
2. Przypraw solą oraz pieprzem i wymieszaj.

SURÓWKA Z MARCHWI Z POREM

Surówka z marchwi sprzyja regeneracji skóry oraz błon śluzowych.

4 porcje

2–3-centymetrowy kawałek białej części pora
szczypta soli
50 dag marchwi startej na tarce o dużych oczkach
sok z cytryny

1. Kawałek pora przekrój wzdłuż na pół, dokładnie wypłucz pod bieżącą wodą i pokrój bardzo cienko w półkrążki. Posyp solą i odstaw na kilka minut.
2. Wymieszaj marchew z porem, przypraw sokiem z cytryny.

SURÓWKA Z SAŁATY, PORA I KUKURYDZY

Surówka o dosyć ostrym smaku z powodu dodania pora. Można jednak uzyskać łagodniejszy smak, używając mniej pora, a więcej sałaty, niż podano w przepisie.

4 porcje

1 kolba kukurydzy (lub ½ puszki kukurydzy)
2 szklanki pokrojonej sałaty
1 por (biała część) pokrojony w półkrążki
1 łyżka oleju lnianego

1. Kukurydzę ugotuj do miękkości. Wybierz ziarna.
2. Sałatę, pora i ziarna kukurydzy włóż do salaterki, dodaj olej i wymieszaj.

SURÓWKA Z SELERA Z RODZYNKAMI

Chrupiący seler w towarzystwie słodkich rodzynek to doskonała przystawka zarówno w wydaniu codziennym, jak i odświętnym. Surówkę tę można przygotować także z dodatkiem jabłka (do tej ilości potrzebne będzie pół słodkiego jabłka). Inna wersja to dodatek orzechów włoskich (do tej ilości surówki wystarczy 4–5 pokrojonych drobno orzechów).

2 porcje

3 łyżki rodzynek
1 seler starty na tarce o dużych oczkach
1 łyżka soku z cytryny
sól

1. Rodzynki wsyp do naczynia i zalej gorącą wodą. Odstaw do namoczenia na 5–10 minut. Następnie odsącz.
2. Startego selera skrop sokiem z cytryny, by nie ściemniał.
3. Odsączone rodzynki dodaj do selera, wymieszaj, przypraw solą.
4. Surówkę przed podaniem odstaw na 20–30 minut, żeby smaki się połączyły.

SURÓWKA Z AWOKADO, RZODKIEWKI I SAŁATY

Awokado jest wyjątkowym owocem ze względu na dużą zawartość tłuszczu. Dlatego sałatki czy surówki przygotowywane z jego dodatkiem nie wymagają dodawania tłuszczu w postaci oliwy. Konieczny jest natomiast sok z cytryny, który zapobiega utlenianiu się delikatnych kwasów tłuszczowych zawartych w awokado. Zamiast soku z cytryny można użyć octu balsamicznego.

4 porcje

2 awokado
2 szklanki pokrojonej sałaty
8 rzodkiewek pokrojonych w ćwierćkrążki
3 łyżki soku z cytryny
pieprz

1. Awokado przekrój na pół. Wyjmij pestkę. Miąższ pokrój w kostkę, a następnie wybierz ze skórki.
2. Sałatę, rzodkiewki i awokado wymieszaj, polej sokiem z cytryny, a na koniec przypraw pieprzem.

BURACZKI

To jedna z surówek, które doskonale działają na jelita. Buraki zawierają dużo błonnika, odżywiają ścianki jelit i ograniczają procesy gnilne w jelitach.

6 porcji

1 kg buraków
1 łyżeczka octu winnego

1. Buraki ugotuj w łupinach do miękkości. Następnie obierz i pokrój bardzo drobno.
2. Polej octem winnym i wymieszaj.

SURÓWKA-PRASOWANKA Z CZERWONEJ KAPUSTY

Czerwona kapusta jest dość twarda, dlatego wyjątkowo dobrze sprawdza się w tzw. prasowankach, w których warzywa po pokrojeniu trzeba lekko posolić, ugnieść i odstawić na kilka godzin, żeby uzyskać delikatniejszą konsystencję.

2 porcje

25 dag czerwonej kapusty cienko poszatkowanej
sól
1 jabłko starte na tarce o dużych oczkach
1 łyżka soku z cytryny

1. Kapustę włóż do salaterki, posyp solą i dokładnie wymieszaj. Następnie dobrze ugnieć i odstaw na kilka godzin.
2. Jabłko skrop sokiem z cytryny, żeby nie ściemniało.
3. Kapustę wymieszaj z jabłkiem.

SURÓWKA Z KISZONEJ KAPUSTY

Klasyczna surówka z kiszonej kapusty z dodatkiem marchwi ma bardzo korzystny wpływ na jelito grube. Kapusta nie tylko wymiata z jelit resztki pokarmowe, lecz także dzięki obecności korzystnych bakterii wspomaga zasiedlanie przez nie jelita grubego.

4 porcje

30 dag kiszonej kapusty
2 marchwie starte na tarce o dużych oczkach
½ cebuli drobno posiekanej
pieprz

1. Kiszoną kapustę odsącz z soku, posiekaj i włóż do salaterki.
2. Dodaj marchew oraz cebulę, dopraw pieprzem i wymieszaj.

SAŁATKA JARZYNOWA

Sałatka z gotowanych jarzyn to wspaniałe źródło mikroelementów i witamin.

10 porcji

60 dag marchwi ugotowanej i pokrojonej w drobną kostkę
40 dag ziemniaków ugotowanych i pokrojonych w drobną kostkę
20 dag pietruszki ugotowanej i pokrojonej w drobną kostkę
30 dag selera ugotowanego i pokrojonego w drobną kostkę
1½ szklanki ugotowanego zielonego groszku
musztarda (niekoniecznie)
olej lniany bądź inny olej tłoczony na zimno (lub majonez z tofu)
sól, pieprz
natka pietruszki drobno posiekana

1. Marchew, ziemniaki, pietruszkę, seler i groszek włóż do salaterki i dokładnie wymieszaj.
2. Przypraw solą, ewentualnie pieprzem i musztardą.
3. Przed podaniem dodaj do sałatki olej tłoczony na zimno lub majonez z tofu. Posyp świeżą natką pietruszki.

SAŁATKA Z WĘDZONEGO TOFU, OGÓRKA, SAŁATY I KIEŁKÓW

2 porcje

20 dag wędzonego tofu pokrojonego w kostkę 1 × 1 cm
1 ogórek obrany i pokrojony w półtalarki.
1 szklanka kiełków fasoli mung
4–5 liści sałaty pokrojonej w paseczki
ocet balsamiczny

1. Tofu, ogórka, kiełki i sałatę włóż do salaterki. Przypraw octem balsamicznym do smaku i wymieszaj.

SAŁATKA Z KOMOSY RYŻOWEJ I BURAKÓW Z ORZECHAMI WŁOSKIMI

Komosa ryżowa świetnie sprawdza się jako baza sałatek, gdyż jest zbożem niezwykle delikatnym, dobrze komponującym się ze składnikami o bardziej wyrazistym smaku.

2 porcje

1 szklanka komosy ryżowej
3 szklanki wody (do ugotowania komosy ryżowej)
2 średnie buraki ugotowane i pokrojone w drobną kostkę
2–3 orzechy włoskie posiekane

1. Komosę ryżową zalej wodą i ugotuj do miękkości (około 15 minut).
2. Do salaterki włóż ugotowaną komosę i pokrojone buraki. Wymieszaj.
3. Sałatkę posyp orzechami włoskimi.

Sosy

SOS PODSTAWOWY

Sos dobrze nadaje się do różnego rodzaju zapiekanek. Z podanego przepisu otrzymamy około 1 szklanki sosu.

2 porcje

2 łyżki mąki ryżowej
1 szklanka wody
szczypta gałki muszkatołowej
szczypta soli
szczypta pieprzu

1. Na rozgrzaną patelnię wsyp mąkę ryżową i energicznie wymieszaj, tak by nie było grudek.
2. Następnie zestaw z ognia i dodaj wodę. Wymieszaj do uzyskania jednolitej zawiesiny.
3. Postaw z powrotem na ogniu i podgrzewaj, stale mieszając, dopóki masa nie zacznie gęstnieć. Zestaw z ognia po zagotowaniu. Przypraw gałką muszkatołową, solą i pieprzem.

SOS KOPERKOWY

4 porcje

1 pęczek koperku (6–7 łyżek po posiekaniu)
2 szklanki wody
4 łyżki mąki ryżowej rozmieszane w ½ szklanki wody
pieprz

1. Koperek drobno posiekaj.
2. Zagotuj wodę i wlej mąkę ryżową rozmieszaną z wodą. Jeszcze raz zagotuj, mieszając aż do zgęstnienia sosu.
3. Dodaj posiekany koperek. Wszystko zagotuj.
4. Przypraw do smaku pieprzem.

SOS PIECZARKOWY Z NATKĄ PIETRUSZKI

Sos pieczarkowy doskonale komponuje się z różnego rodzaju kaszami lub wegeteriańskimi kotletami.

4 porcje

1½ szklanki wody (do uduszenia pieczarek)
1 duża cebula drobno posiekana
30 dag pieczarek pokrojonych w paseczki
2 łyżki mąki ryżowej rozmieszane z ½ szklanki wody
2 łyżki posiekanej natki pietruszki
pieprz

1. W dużym rondlu zagotuj wodę i włóż cebulę oraz pieczarki. Przykryj pokrywką i duś około 20 minut.
2. Następnie do pieczarek wlej mąkę rozmieszaną z wodą, wymieszaj i zagotuj do zgęstnienia.
3. Kiedy sos zgęstnieje, dodaj natkę pietruszki i przypraw pieprzem do smaku.

SOS ZE ŚWIEŻYCH POMIDORÓW

Sos ze świeżych pomidorów ma wspaniały słodko-kwaśny smak. Dobrze pasuje jako dodatek do gołąbków, warzyw gotowanych na parze oraz makaronów naturalnie bezglutenowych (ryżowego, sojowego, z fasoli mung itp.).

4–6 porcji

1 kg dojrzałych pomidorów
¼ szklanki wody
1 cebula drobno pokrojona
¼ łyżeczki pieprzu
1 łyżeczka lubczyku
1 łyżeczka słodkiej papryki

1. Pomidory sparz, obierz ze skórki i pokrój w kostkę.
2. Na głębokiej patelni lub w rondlu zagotuj wodę i włóż pokrojone pomidory oraz cebulę.
3. Przykryj pokrywką i duś na wolnym ogniu około 40 minut, uważając, by sos się nie przypalił.
4. Pod koniec gotowania przypraw pieprzem, lubczykiem i słodką papryką.

MAJONEZ Z TOFU

Majonez z tofu jest świetnym zamiennikiem zwykłego majonezu dla osób będących na diecie wegańskiej lub uczulonych na jaja, gluten czy mleko. Można go wykorzystać jako sos do sałatek lub pastę do pieczywa, regulując w zależności od potrzeb ilość dodanej wody i oleju.

20 dag tofu jedwabistego
2 łyżki octu jabłkowego 6%
4–6 łyżek oliwy z oliwek lub oleju lnianego
4–6 łyżek wody

1. Tofu odsącz z zalewy i pokrusz. Następnie włóż do blendera, wlej ocet jabłkowy, 2–3 łyżki oliwy lub oleju lnianego oraz 2–3 łyżki wody.
2. Zmiksuj składniki na jednolitą masę. Następnie, w zależności od tego, czy chcesz uzyskać majonez o rzadszej lub gęstszej konsystencji, dodaj odpowiednią ilość wody i oleju.
3. Ponownie zmiksuj.

Ciasta i desery

Nawyki żywieniowe większości osób skłaniają do zbyt dużej chęci sięgania po ciasta, słodycze i słodzone napoje. Produkty te charakteryzują się, niestety, bardzo dużą gęstością kaloryczną i powodują nagłe skoki insuliny we krwi. Nie oznacza to oczywiście, że słodkie zdrowe wypieki są zabronione, ale trzeba je spożywać okazjonalnie. Ochota na intensywny słodki smak jest znacznie mniejsza, jeśli pożywienie składa się z warzyw, owoców, roślin strączkowych, zbóż pełnoziarnistych, orzechów i pestek.

Ciasta bez mąki pszennej, cukru czy mleka i jaj smakują trochę inaczej niż te dostępne w większości cukierni i pieczone na bazie tych właśnie produktów. Gluten zawarty w mące pszennej bardzo dobrze stabilizuje wypieki, dzięki czemu mają zwartą konsystencję i dobrze się przechowują. Okazuje się jednak, że również mąki niezawierające glutenu, zwłaszcza mąka migdałowa, orzechowa, kukurydziana, kasztanowa i ryżowa, mogą zostać użyte do wypieku ciast.

Mąki te można otrzymać samodzielnie przez zmielenie ziaren lub po prostu kupić gotowe w sklepie ze zdrową żywnością. Mąki otrzymywane samodzielnie (najlepiej tuż przed przygotowaniem ciasta) mają znacznie wyższą wartość odżywczą niż te kupowane w sklepie, ponieważ proces mielenia i rozdrabniania ziarna powoduje łatwiejszy dostęp powietrza i światła do maleńkich cząstek, więc wiele cennych witamin oraz innych składników się utlenia.

Proszek do pieczenia ciast bezglutenowych powinien mieć specjalne oznakowanie, że nie zawiera glutenu. Zwykły proszek do pieczenia zawiera z reguły mąkę pszenną. Zamiast proszku do pieczenia można też użyć sody oczyszczonej. Można też w ogóle nie używać proszku do pieczenia (szczególnie w wypadku ciast kruchych).

W zdrowych wypiekach i deserach jako źródło cukru wykorzystywać należy przede wszystkim:

- świeże lub suszone owoce,
- niewielkie ilość miodu lub słodu,
- stewię (1 łyżeczka stewii w pudrze zastępuje około 3 łyżeczek cukru).

CIASTO BANANOWE Z RODZYNKAMI

Ciasto bananowe smakuje trochę jak chlebek z rodzynkami – jest lekko słodkie i bardzo wilgotne. Do przygotowania ciasta nadają się dojrzałe i słodkie banany, które dodadzą ciastu słodyczy, dzięki czemu nie trzeba będzie dodawać innych substancji słodzących.

12 porcji

4 dojrzałe banany
1½ szklanki mąki migdałowej
1½ łyżeczki bezglutenowego proszku do pieczenia
½ szklanki wody
½ szklanki rodzynek

1. Banany obierz ze skórek i zmiksuj lub rozgnieć widelcem.
2. Następnie dodaj mąkę migdałową, proszek do pieczenia i wodę. Utrzyj dokładnie na jednolitą masę. Na końcu dodaj rodzynki i wymieszaj delikatnie z ciastem.
3. Masę przełóż do keksówki i wyrównaj wierzch.
4. Piecz w temperaturze 200°C około 45 minut.

SZARLOTKA Z MĄKI KUKURYDZIANEJ

Do przygotowania szarlotki użyłam mąki kukurydzianej, ale można też użyć mąki ryżowej w takich samych proporcjach. Szarlotka jest bardzo smaczna na ciepło, jednak tuż po przygotowaniu dosyć łatwo się kruszy. Na drugi dzień po upieczeniu ciasto trochę mięknie, ma delikatniejszy smak i łatwiej je pokroić.

12 porcji

Jabłka

2 kg jabłek
½ szklanki wody

1. Jabłka obierz i pokrój, usuwając gniazda nasienne.
2. W rondlu zagotuj wodę, włóż pokrojone jabłka, zagotuj i duś pod przykryciem około 10 minut, uważając, by się nie przypaliły.

Ciasto

3 szklanki mąki kukurydzianej
½ szklanki oliwy z oliwek (lub innego oleju tłoczonego na zimno)
¼ szklanki wody
2 łyżeczki cynamonu
2 łyżki słodu lub miodu albo niepełna łyżka stewii
1 łyżeczka bezglutenowego proszku do pieczenia (niekoniecznie)

1. Do miski wsyp mąkę kukurydzianą, dodaj oliwę lub olej, wodę, cynamon, słód lub miód oraz proszek do pieczenia. Wszystko dokładnie wymieszaj. Otrzymane ciasto będzie miało konsystencję kruszonki.
2. Prostokątną blachę wysmaruj olejem i ułóż na niej ⅔ ciasta. Ciasto lekko ugnieć, żeby przylegało dokładnie do formy. Następnie na ciasto wyłóż przygotowane wcześniej jabłka. Wierzch jabłek posyp resztą ciasta.
3. Piecz w temperaturze 200°C około 50 minut.

CIASTO DYNIOWO-KOKOSOWE

W tym cieście smak dyni doskonale komponuje się ze smakiem kokosu i rodzynek.

12 porcji

1 szklanka mąki migdałowej
1 szklanka wiórków kokosowych
2 łyżki cukru trzcinowego
1 łyżeczka bezglutenowego proszku do pieczenia
1 szklanka wody
1½ szklanki startej dyni
½ szklanki rodzynek

1. W misce wymieszaj mąkę migdałową, wiórki kokosowe, cukier, proszek do pieczenia, wodę. Następnie dodaj startą dynię i rodzynki. Wszystko dokładnie wymieszaj. Masa powinna być dosyć gęsta.
2. Masę przełóż do wysmarowanej tłuszczem keksówki o wymiarach 9 × 32 cm i wyrównaj wierzch.
3. Piecz w temperaturze 200°C około 35 minut.

CIASTKA Z GRUSZKAMI I KAROBEM

Do ciasta nie dodaje się cukru, gdyż gruszki, daktyle i rodzynki są wystarczająco słodkie. Karob jest idealnym uzupełnieniem gruszek – wydobywa i uwypukla ich smak oraz aromat. Zamiast karobu można użyć kakao.

20 sztuk

2 gruszki
½ szklanki daktyli
1 szklanka mąki ryżowej
½ szklanki mąki jaglanej
1 łyżeczka bezglutenowego proszku do pieczenia
3 łyżeczki karobu
1 łyżeczka stewii w pudrze
1 szklanka wody
1 łyżka soku z cytryny
½ szklanki rodzynek

1. Gruszki obierz i pokrój w kostkę, usuwając gniazda nasienne. Daktyle posiekaj na drobne kawałki.
2. Wymieszaj mąkę ryżową, mąkę jaglaną, proszek do pieczenia, karob, stewię, wodę i sok z cytryny na jednolitą masę. Masa powinna być dosyć gęsta.
3. Następnie dodaj rodzynki oraz gruszki i daktyle. Wszystko dokładnie, ale delikatnie wymieszaj.
4. Wysmaruj tłuszczem dużą blachę do pieczenia. Ciasto nabieraj na łyżkę i kładź na blasze w formie niewielkich placuszków (1 łyżka ciasta = 1 ciastko). Piecz w temperaturze 200°C około 20 minut.

CIASTO KASZTANOWE

Mąka z kasztanów jadalnych to bardzo wartościowy produkt w diecie alergików – jest bardzo odżywcza i lekko słodka, dzięki czemu nie trzeba dodawać innych substancji słodzących.

10 porcji

25 dag mąki kasztanowej
4 łyżki oleju
1¼ szklanki wody
½ szklanki rodzynek
½ szklanki orzechów piniowych

1. Mąkę kasztanową wsyp do miski, dolej olej i wodę. Utrzyj dokładnie na jednolitą masę.
2. Na końcu dodaj połowę rodzynek oraz orzechów i delikatnie wymieszaj.
3. Tortownicę lub okrągłą blaszkę o średnicy 25 cm wysmaruj olejem.
4. Masę przełóż do blaszki, wyrównaj wierzch. Posyp pozostałymi rodzynkami i orzechami.
5. Piecz w temperaturze 200°C przez 30 minut.

KULECZKI BAKALIOWE

Wegański deser, który można przygotować dosłownie w kilka minut.

25 sztuk

1 szklanka rodzynek
1 szklanka orzechów laskowych
2 łyżki siemienia lnianego
3–4 łyżki gorącej wody
wiórki kokosowe do obtaczania

1. Rodzynki, orzechy laskowe i siemię lniane wsyp do blendera i zmiksuj.
2. Zmiksowane bakalie włóż do miski i dodaj trochę gorącej wody, aby uzyskać masę, z której da się uformować kulki.
3. Masę nabieraj na łyżeczkę i formuj dłonią nieduże kulki. Każdą kulkę obtocz w wiórkach kokosowych.
4. Gotowe kulki schłodź w lodówce.

KULECZKI ORZECHOWO-CZEKOLADOWE

Inna wersja kuleczek bakaliowych – z daktylami, orzechami włoskimi i z dodatkiem kakao.

25 sztuk
1 szklanka daktyli
1 szklanka orzechów włoskich
2 łyżki siemienia lnianego
2 łyżki kakao
3–4 łyżki gorącej wody
zmielone orzechy do obtaczania

1. Każdego daktyla pokrój na 3–4 kawałki.
2. Daktyle, orzechy włoskie, siemię lniane oraz kakao wsyp do blendera i zmiksuj.
3. Zmiksowane bakalie włóż do miski i dodaj trochę gorącej wody, aby uzyskać masę, z której da się uformować kulki.
4. Masę nabieraj na łyżeczkę i formuj dłonią nieduże kulki. Każdą kulkę obtocz w zmielonych orzechach.
5. Gotowe kulki schłodź w lodówce.

GALARETKA JAGODOWA Z AGAREM

Agar jest glonem morskim o wspaniałych właściwościach żelujących. Można z niego przygotowywać galaretki zarówno na słono, jak i na słodko. Wystarczy rozpuszczony agar wlać do wrzątku i chwilę pogotować. W przeciwieństwie do żelatyny, którą najlepiej rozpuścić w gorącej wodzie, ale już nie gotować, agar wymaga krótkiego gotowania. Niektóre owoce, takie jak ananas czy kiwi, nie nadają się do galaretek na bazie żelatyny, ponieważ ją rozpuszczają. Agar natomiast doskonale żeluje galaretki zarówno z kiwi, jak i z ananasa. Galaretek agarowych nie wstawia się do lodówki, gdyż zastygają w temperaturze pokojowej z reguły w ciągu 30–60 minut od przygotowania.

na 4 kompotierki

30 dag czarnych jagód (lub borówek amerykańskich)

2 szklanki świeżego soku jabłkowego

1 płaska łyżeczka agaru rozpuszczonego w niewielkiej ilości zimnej wody

1. Jagody umyj i rozłóż do kompotierek.
2. W garnku zagotuj sok. Agar rozpuszczony w wodzie dodaj do gotującego się soku i gotuj jeszcze 1–2 minuty. Zestaw z ognia i rozlej do kompotierek.
3. Galaretki odstaw, by stężały – będą gotowe w ciągu godziny.

KISIEL JABŁKOWY Z SUSZONYMI MORELAMI

Dobrej jakości niesiarkowane suszone morele mają kolor brązowy, w odróżnieniu od siarkowanych, które są intensywnie pomarańczowe. Osobiście nie przepadam za bardzo słodkim deserami, dlatego użyłam tylko takiej ilości moreli, żeby uzyskać delikatnie słodki smak. Aby kisiel był słodszy, można dodać ich trochę więcej. Kisiel można też przygotować z dodatkiem rodzynek zamiast moreli.

4 porcje

3 szklanki wody
60 dag aromatycznych jabłek pokrojonych w kostkę
6 suszonych moreli pokrojonych w ćwiartki
2 czubate łyżki mąki ziemniaczanej rozmieszane w ½ szklanki wody

1. Zagotuj wodę, włóż jabłka i morele. Gotuj około 4 minut. Po tym czasie jabłka i morele powinny być miękkie, ale jeszcze nierozgotowane.
2. Mąkę ziemniaczaną rozmieszaną z wodą wlej do gotujących się owoców. Dokładnie wymieszaj, zagotuj i gotuj jeszcze, stale mieszając, 1–2 minuty, aż kisiel zgęstnieje.

BUDYŃ CZEKOLADOWY

3 porcje

2 szklanki mleka sojowego
2 czubate łyżki mąki ziemniaczanej
1 łyżka kakao
1 łyżeczka stewii
płatki migdałowe do posypania

1. Z mleka sojowego odlej ½ szklanki, a pozostałą część mleka wlej do rondelka i zagotuj.
2. Do odlanego zimnego mleka dodaj mąkę ziemniaczaną, kakao i stewię. Dokładnie wymieszaj.
3. Zagotowane mleko zestaw z ognia i dodaj zawiesinę z zimnego mleka, mąki, kakao i stewii. Dokładnie wymieszaj, aby nie było grudek.
4. Następnie postaw znowu na ogniu i zagotuj, stale mieszając. Kiedy zgęstnieje – zestaw z ognia.
5. Gotowy budyń rozlej do kompotierek. Posyp płatkami migdałowymi.

SAŁATKA Z BORÓWEK AMERYKAŃSKICH, BANANÓW I ORZECHÓW LASKOWYCH

2 porcje

2 banany
½ szklanki orzechów laskowych
2 szklanki borówek amerykańskich
1 łyżka zmielonego siemienia lnianego

1. Banany obierz i pokrój w plastry.
2. Orzechy laskowe posiekaj na drobniejsze kawałki.
3. Wymieszaj ze sobą owoce, dodaj siemię lnianie i orzechy.

Ryby i mięso

Ludy długowieczne, takie jak Hunzowie, Japończycy z wyspy Okinawa czy mieszkańcy niektórych wiejskich terenów Chin, charakteryzuje jedna wspólna cecha, jeżeli chodzi o odżywianie – ich dieta jest w ponad dziewięćdziesięciu procentach wegańska. Składa się głównie z warzyw, owoców, zbóż, roślin strączkowych, orzechów i nasion. Jeżeli chodzi o produkty pochodzenia zwierzęcego, regularnie spożywają ryby różnych gatunków. Natomiast mięso to jedynie niewielki dodatek, podawany przy okazji świąt czy innych uroczystości. Ludzie ci dożywają w dobrym zdrowiu swoich setnych urodzin, zachowując przy tym sprawność fizyczną i umysłową.

Dowodzi to, że nie jest konieczne jedzenie większej ilości ryb czy mięsa niż 2–3 razy w tygodniu, gdyż to rośliny zapewniają mnóstwo niezbędnych do funkcjonowania organizmu składników budulcowych, związków i minerałów.

Ze wszystkich produktów pochodzenia zwierzęcego najbardziej warte polecenia są ryby. Ich mięso jest stosunkowo łatwostrawne w porównaniu z innymi rodzajami mięs, a poza tym jest cennym źródłem niezbędnych nienasyconych kwasów tłuszczowych, które pełnią w organizmie wiele funkcji. Jednocześnie z powodu zanieczyszczenia wód przez człowieka ryby często zawierają wiele metali ciężkich oraz innych toksyn – dlatego lepiej wybierać te z dzikich łowisk i nieskażonych wód. Jeżeli chodzi o mięsa, najbardziej polecam chude mięso kurczaków, indyka (z ekologicznych hodowli), dziczyznę.

ŁOSOŚ PIECZONY ZE SZPINAKIEM

Danie pyszne, eleganckie i bardzo proste w przygotowaniu.

4 porcje

80 dag filetów z łososia
sok z cytryny
40 dag świeżego szpinaku
2–3 ząbki czosnku (niekoniecznie)

1. Łososia podziel na 4 części, skrop sokiem z cytryny. Wstaw do lodówki na 2 godziny, żeby nabrał aromatu.
2. Szpinak opłucz dokładnie w kilku wodach. Następnie pokrój i poddus 3–4 minuty w niewielkiej ilości wody. Możesz przyprawić czosnkiem.
3. Łososia ułóż w naczyniu żaroodpornym. Nie jest konieczne podlewanie go wodą, gdyż podczas pieczenia wydziela się sos. Piecz w temperaturze 200°C przez 20 minut.
4. Następnie łososia wyjmij z piekarnika, na każdą porcję nałóż podduszony szpinak i zapiekaj jeszcze 10 minut.

DORSZ CURRY Z WARZYWAMI

4 porcje

Dorsz
50 dag filetów z dorsza
3 łyżeczki curry

Warzywa
3 szklanki wody
4 średnie marchwie pokrojone w talarki
10 dag białej kapusty cienko poszatkowanej
1 czerwona papryka pokrojona w paseczki
1 mały brokuł podzielony na różyczki
1 łyżeczka curry
1 łyżka mąki ryżowej rozmieszana w ½ szklanki wody

1. Filety z dorsza posyp curry z każdej strony. Wstaw do lodówki na 1–2 godziny, żeby ryba nabrała aromatu.
2. Następnie ułóż filety w naczyniu żaroodpornym, wstaw do piekarnika i piecz w temperaturze 200°C przez 30 minut.
3. W rondlu zagotuj wodę i włóż marchew oraz kapustę. Zagotuj i duś 10 minut.
4. Do duszących się marchwi i kapusty dodaj pokrojoną paprykę oraz różyczki brokułu. Gotuj jeszcze około 3 minut.
5. Warzywa przypraw curry.
6. Dodaj mąkę ryżową rozmieszaną z wodą. Wszystko wymieszaj, poczekaj, aż zgęstnieje.
7. Na talerzach układaj upieczoną rybę z warzywami.

RYBA Z GRZYBAMI MUN I KUKURYDZĄ

W przypadku nietolerancji kukurydzy można użyć fasoli szparagowej.

4 porcje

Ryba

50 dag filetów z dowolnej ryby (flądry, dorsza)
1 łyżeczka imbiru
sok z cytryny

Warzywa

2 kolby kukurydzy
½ szklanki grzybów mun
3 szklanki wody
1 mały brokuł
½ łyżeczki imbiru
¼ łyżeczki cynamonu
sól
¼ łyżeczki pieprzu
2 łyżki mąki ryżowej rozmieszane w ½ szklanki wody

1. Filety z dorsza skrop sokiem z cytryny i posyp imbirem z każdej strony. Wstaw do lodówki na 1–2 godziny, żeby ryba nabrała aromatu.
2. Następnie ułóż filety w naczyniu żaroodpornym, wstaw do piekarnika i piecz w temperaturze 200°C przez 30 minut.
3. Kolby kukurydzy ugotuj do miękkości. Wybierz ziarna.
4. Grzyby mun zalej gorącą wodą i odstaw na 20 minut, żeby napęczniały. Następnie odsącz i pokrój w cienkie paseczki.
5. W rondlu zagotuj wodę i włóż grzyby mun oraz kukurydzę. Zagotuj i duś 10 minut.
6. Brokuł oczyść ze zdrewniałych części i podziel na różyczki. Dodaj do gotującej się potrawy i gotuj jeszcze 3 minuty.
7. Następnie warzywa przypraw imbirem, cynamonem, solą i pieprzem.

8. Dodaj mąkę ryżową rozmieszaną z wodą. Wszystko wymieszaj, poczekaj, aż zgęstnieje.
9. Na talerzach układaj upieczoną rybę z warzywami.

INDYK W SOSIE SŁODKO-KWAŚNYM

2 porcje

500 g piersi indyka pokrojonej w kostkę
2 łyżki oliwy z oliwek
2 papryki pokrojone w paseczki
1 mały por pokrojony w krążki
1 duża marchew pokrojona w słupki
1 łyżka brązowego cukru
2 łyżki octu jabłkowego
1 łyżka koncentratu pomidorowego
1 łyżka mąki ziemniaczanej

1. Mięso obsmaż na oliwie około 5 minut.
2. Dodaj warzywa i smaż kolejnych 5 minut.
3. Następnie zalej wodą. Duś około 30 minut.
4. W ½ szklanki wody rozpuść cukier, dodaj ocet jabłkowy, koncentrat pomidorowy i mąkę ziemniaczaną. Wlej do potrawy, wymieszaj i zagotuj do zgęstnienia.

KACZKA PIECZONA Z JABŁKAMI

1 kaczka o wadze 1,5–2 kg
sok z cytryny
1 łyżka majeranku
1 szklanka wody do podlania kaczki
4 jabłka pozbawione gniazd nasiennych i pokrojone w ćwiartki

1. Kaczkę umyj, osusz, a następnie natrzyj sokiem z cytryny i majerankiem. Wstaw na 2–3 godziny do lodówki.
2. Kaczkę włóż do brytfanki i podlej wodą.
3. Wstaw do piekarnika nagrzanego do temperatury 200°C i piecz około 30 minut. Następnie brytfankę przykryj i piecz kaczkę 1 godzinę w temperaturze 180°C. Po tym czasie dodaj pokrojone jabłka i piecz jeszcze około 30 minut.

SAŁATKA Z WĘDZONEGO ŁOSOSIA, AWOKADO I SAŁATY

Sałatkę te podaję z reguły jako samodzielne danie, bardzo bogate zwłaszcza w nienasycone kwasy tłuszczowe.

2 porcje

2 awokado
2 szklanki mieszanki sałat pokrojonych w cienkie paseczki
10 dag wędzonego łososia pokrojonego na kawałki o boku 1 × 2 cm
3 łyżki soku z cytryny

1. Awokado przekrój na pół. Wyjmij pestkę. Miąższ wybierz ze skórki i pokrój w kostkę.
2. W salaterce wymieszaj sałatę, łososia i awokado. Polej sokiem z cytryny i ponownie wymieszaj.

Napoje

Jako główny składnik ludzkiego organizmu (około 70%) woda pełni różne funkcje. Stanowi środowisko, w którym zachodzą reakcje chemiczne, wpływając na przepuszczalność i polaryzację błon komórkowych. Jest istotna również w procesach oczyszczania organizmu z ubocznych produktów przemiany materii, które są wydalane wraz z moczem i potem. Jeżeli woda wykorzystywana do celów spożywczych jest zanieczyszczona, to w nieprawidłowy sposób będzie pełniła swoje funkcje. Dlatego zadbaj o to, by woda używana do picia i przyrządzania posiłków była dobrej jakości.

Do przygotowywania gorących napojów dobrze jest używać ziół: rumianku, majeranku, mięty, dziurawca, melisy lub innych, w zależności od upodobań. Istotne są właściwości termiczne danego zioła. Rumianek i mięta mają działanie ochładzające – przydatne podczas upałów. W pozostałe dni dobrze sprawdza się herbatka z tymianku, lukrecji, dziurawca, pokrzywy. Każde z ziół ma unikatowe właściwości i najlepiej je pić na zasadzie rotacyjnej, gdyż pite w większych ilościach przez dłuższy czas mogą zaburzyć delikatną równowagę organizmu.

Można też robić kompoty z owoców sezonowych: wiśni, porzeczek, agrestu, gruszek, śliwek, moreli, brzoskwiń, jabłek, które najlepiej pić bez dodatkowego słodzenia albo dosładzać niewielką ilością suszonych owoców o dużej zawartości cukru (np. daktylami) lub słodem, ewentualnie miodem.

HERBATKA Z TYMIANKU

2 porcje

½ litra wody
2 łyżeczki tymianku

1. W rondelku zagotuj wodę i dodaj tymianek.
2. Gotuj pod przykryciem 3–5 minut.

HERBATKA Z POKRZYWY

Pokrzywa ma zdolności regenerujące kosmki jelita cienkiego, dlatego poleca się ją osobom z alergiami. Pij po 2 szklanki dziennie przez 6 tygodni.

2 porcje

½ litra wody
2 łyżeczki suszonych liści pokrzywy

1. W rondelku zagotuj wodę i dodaj pokrzywę.
2. Przykryj i pozostaw do zaparzenia na 5 minut.

HERBATKA Z KAROBU

Herbatka z karobu może być przydatna przy odstawianiu produktów zawierających kofeinę i substancje kofeinopodobne, takich jak herbata, kawa, napoje typu cola.

2 porcje

½ litra wody
2 łyżeczki karobu

1. W rondelku zagotuj wodę. Dodaj karob i wymieszaj.
2. Gotuj 2–3 minuty na wolnym ogniu.

HERBATKA Z GLONU KOMBU

Herbatka z glonu kombu jest bogata w minerały. Można ją stosować jako bazę do przygotowywania zup. Trzeba jednak pamiętać o tym, że glony spożywamy jedynie w niedużych ilościach.

4 porcje

2 kawałki glonu kombu o długości 4 cm każdy
1 litr wody

1. Do rondelka włóż glon kombu i zalej wodą.
2. Zagotuj, a następnie gotuj pod przykryciem 15 minut.
3. Odcedź.

KOMPOT Z GRUSZEK

Kompot z gruszek jest dobrym remedium na suchy kaszel – doskonale nawilża i zmniejsza stan zapalny.

70 dag (5 sztuk) gruszek
1½ litra wody
plasterek świeżego imbiru
kilka kropli soku z cytryny (niekoniecznie)

1. Gruszki obierz, usuń gniazda nasienne i pokrój w ćwiartki.
2. W garnku zagotuj wodę i włóż gruszki oraz imbir.
3. Gotuj na wolnym ogniu około 20 minut.
4. Gdy kompot trochę ostygnie, możesz dodać kilka kropli soku z cytryny.

Przypisy

[1] M. Myśliwiec et al., *Increasing incidence of diabetes mellitus type 1 in children – the role of environmental factors*, Pol J Environ Stud 2007, 16 (1): 109–112.

[2] J. Fuhrman, *Super Immunity: The Essential Nutrition Guide for Boosting Your Body's Defenses to Live Longer, Stronger and Disease Free*, HarperCollins Publishers, New York 2011; idem, *Eat to Live: The Amazing Nutrient-Rich Program for Fast and Sustained Weight Loss*, Hachette Book Group, New York 2011; K.B. Hagen et al., *Dietary interventions for rheumatoid arthritis*, Cohrane Database Syst Rev 2009, 21 (1); A. Fujita et al., *Effects of low-calorie vegan diet on disease activity and general conditions in patients with rheumatoid arthritis*, Rinsho Byori 1999, 47 (6): 554–560; E.H. Haddad et al., *Dietary intake and biochemical, hematologic and immune status of vegans compared with nonvegeterians*, Am J Clin Nutr 1999, 70 (Suppl. 3): 586–593; I. Hafström et al., *A vegan diet free of gluten improves the signs and symptoms of rheumatoid arthritis: the effects on arthritis correlate with reduction in antibodies to food antigens*, Rheumatology 2001, 40 (10): 1175–1179.

[3] S.E. Crowe, M.H. Perdue, *Gastrointestinal food hypersensitivity: basic mechanisms of pathophysiology*, Gastroenterology 1992, 103: 1075–1095; J. Drisko et al., *Treating irritable bowel syndrome with a food elimination diet followed by food challenge and probiotics*, J Am Coll Nutr 2006, 25: 514–522.

[4] A.L. Servin, M.H. Coconnier, *Adhesion of probiotic strains to the intestinal mucosa and interaction with pathogens*, Best Pract Res Clin Gastroenterol 2003, 17 (5): 741–754.

[5] B. Björksten et al., *The intestinal microflora in allergic Estonian and Swedish 2-year-old children*, Clin. Exp. Allergy 1999, 29: 342–346.

[6] J. Penders et al., *Gut microbiota composition and development of atopic manifestations in infancy: the KOALA Birth Cohort Study*, Gut 2007, 56: 661–667.

[7] B. Kamer et al., *Alergia pokarmowa jako przyczyna zaparć u dzieci w pierwszych trzech latach życia na podstawie obserwacji własnych*, Alergologia Info 2011, 6 (2): 67–72.

[8] A.M. Knivsberg et al., *A randomised, controlled study of dietary intervention in autistic syndromes*, Nutr Neurosci 2002, 5: 251–261.

[9] P. Whiteley et al., *The ScanBrit randomised, controlled single-blind study of a gluten- and casein-free dietary intervention for children with autism spectrum disorders*, Nutr Neurosci 2010, 13 (2): 87–100.

[10] L.M. Pelsser et al., *Effects of restricted elimination diet on the behaviour of children with attention-deficit hyperactivity disorder (INCA study): a randomized controlled trial*, Lancet 2011, 377: 494–503.

[11] J. Cheng et al., *Body mass index in celiac disease: beneficial effect of a gluten-free diet*, J Clin Gastroenterol 2010, 44 (4): 267–271.

[12] A. Ukkola et al., *Changes in body mass index on a gluten free diet in coeliac disease: a nationwide study*, Eur Inter Med 2012, 23 (4): 384–388.

[13] D. Myłek D., *Alergie*, W.A.B., Warszawa 2010.

[14] I. Hafström et al., *A vegan diet free of gluten..., op. cit.*

[15] J. Kjeldsen-Kragh, *Rheumatoid arthritis treated with vegetarian diets*, Am J Clin Nutr 1999, 70 (Suppl. 3): 594–600.

[16] J. Fuhrman J., *Super Immunity..., op. cit.*

[17] E. Rudzki, *Alergia pokarmowa*, PDiA 2005, 22 (2): 77–88.

[18] T.C. Campbell, T.M. Campbell II, *The China Study: The Most Comprehensive Study of Nutrition Ever Conducted and the Startling Implications for Diet, Weight Loss and Long-Term Health*, BenBella Books, Dallas 2006; wyd. pol.: T.C. Campbell, T.M. Campbell II, *Nowoczesne zasady odżywiania. Przełomowe badanie wpływu żywienia na zdrowie*, tłum. M. Paciorkowska, Galaktyka, Łódź 2011.

[19] M. Madras, E.A. Jankowska, E. Rogucka, *Wpływ palenia tytoniu, picia alkoholu i kawy na gęstość mineralną kośćca obwodowego zdrowych mężczyzn po 40 roku życia*, Pol Arch Med Wew 2000, 103: 187–193.

[20] G. Cichosz, S.K. Wiąckowski, *Żywność genetycznie modyfikowana – wielka niewiadoma*, Pol Merk Lek, 2012, 33 (194): 59.

[21] T.C. Campbell, T.M. Campbell II, *The China Study..., op. cit.*

[22] *Ibidem.*

[23] *Ibidem.*

[24] C. Rucker, J. Hoffman, *The Seventh-Day Adventist diet*, Random House, New York 1991.

[25] A.S. Anderson, S. Caswell, *Obesity management – an opportunity for cancer prevention*, Surgeon 2009, 7 (5): 282–285; N.D. Bernard, A. Nicholson, J.L. Howard, *The medical costs attributed to meat consumption*, Prev Med 1995, 24: 646–655; H. Frank et al. *Effect of short-term high-protein compared with normal-protein diets on renal hemodynamics and associated variables in healthy young men*, Am J Clin Nutr 2009, 90 (6): 1509–1516; G. Radhika et al., *Association of fruit and vegetable intake with cardiovascular risk factors in urban south Indians*, Br J Nutr 2008, 99 (2): 398–405; J. Sathia-Abouta et al., *Food groups and colon cancer risk in African-Americans and Caucasians*, Int J Cancer 2004, 109 (5): 728–736; M. Segasothy, P.A. Philips, *Vegetarian diet: panacea for modern lifestyle disease?*, QJM 1999, 92 (9): 531–544; X.C. Zhang et al., *Greater vegetable and fruit intake is associated with low risk of breast cancer among Chinese women*, Int J Cancer 2009, 125 (1): 181–188; M. Sandoval et al., *The role of vegetable and fruit consumption and other habits on survival following the diagnosis of oral cancer: a prospective study in Spain*, Int J Oral Maxillofac Surg 2009, 38 (1): 31–39.

Bibliografia

Abelow B.J., Holford T.R., Insogna K.L., *Cross-cultural association between dietary animal protein and hip fracture: a hypothesis*, Calcif Tissue Int 1992, 50 (1): 14–18.

Anderson A.S., Caswell S., *Obesity management – an opportunity for cancer prevention*, Surgeon 2009, 7 (5): 282–285.

Bernard N.D., Nicholson A., Howard J.L., *The medical costs attributed to meat consumption*, Prev Med 1995, 24: 646–655.

Björksten B., Naaber P., Seep E., Mikelsaar M., *The intestinal microflora in allergic Estonian and Swedish 2-year-old children*, Clin Exp Allergy 1999, 29: 342–346.

Brodzki J., *Przepuszczalność jelitowa – temat wart zainteresowania?*, Pediatr Współcz Gastroenterol Hepatol Żywienie Dziecka 2006, 8 (3): 188–191.

Campbell T.C., Campbell II T.M., *The China Study: The Most Comprehensive Study of Nutrition Ever Conducted and the Startling Implications for Diet, Weight Loss and Long-Term Health*, BenBella Books, Dallas 2006; wyd. pol.: T.C. Campbell, T.M. Campbell II, *Nowoczesne zasady odżywiania. Przełomowe badanie wpływu żywienia na zdrowie*, tłum. M. Paciorkowska, Galaktyka, Łódź 2011.

Chen J. et al., *Diet, Life-Style and Mortality in China. A Study of Characteristics of 65 Chinese Counties*, Oxford University Press, Oxford 1990.

Cheng J. et al., *Body mass index in celiac disease: beneficial effect of a gluten-free diet*, J Clin Gastroenterol 2010, 44 (4): 267–271.

Ciborowska H., Rudnicka A., *Dietetyka, żywienie zdrowego i chorego człowieka*, Wyd. Lekarskie PZWL, Warszawa 2007.

Cichosz G., Wiąckowski S.K., *Żywność genetycznie modyfikowana – wielka niewiadoma*, Pol Merk Lek 2012, 33 (194): 59–63.

Crowe S.E., Perdue M.H., *Gastrointestinal food hypersensitivity: basic mechanisms of pathophysiology*, Gastroenterology 1992, 103: 1075–1095.

Cyran-Żak B., *Odnowa na talerzu*, Galaktyka, Łódź 2008.

Dasa A., *Kuchnia Kryszny, indyjskie potrawy wegetariańskie*, The Bhaktivedanta Book Trust, [b.m.] 1993.

Davis W., *Dieta bez pszenicy. Jak pozbyć się pszennego brzucha i być zdrowym*, tłum. R. Palewicz, Bukowy Las, Wrocław 2013.

Drisko J. et al., *Treating irritable bowel syndrome with a food elimination diet followed by food challenge and probiotics*, J Am Coll Nutr 2006, 25: 514–522.

Dworzański W. et al., *Kofeina a rozwój osteoporozy*, Zdr Publ 2010, 20 (1): 93–96.

Frank H. et al., *Effect of short-term high-protein compared with normal-protein diets on renal hemodynamics and associated variables in healthy young men*, Am J Clin Nutr 2009, 90 (6):1509–1516.

Fraser G.E., *Association between diet and cancer; ischemic heart disease and all-cause mortality in non-Hispanic white California Seventh-Day Adventists*, Am J Clin Nutr 1999, 70: 532–538.

Fuhrman J., *Eat to Live: The Amazing Nutrient-Rich Program for Fast and Sustained Weight Loss*, Hachette Book Group, New York 2011.

Fuhrman J., *Super Immunity: The Essential Nutrition Guide for Boosting Your Body's Defenses to Live Longer, Stronger and Disease Free*, HarperCollins Publishers, New York 2011.

Fujita A. et al., *Effects of low-calorie vegan diet on disease activity and general conditions in patients with rheumatoid arthritis*, Rinsho Byori 1999, 47 (6): 554–560.

Haddad E.H. et al., *Dietary intake and biochemical, hematologic and immune status of vegans compared with nonvegeterians*, Am J Clin Nutr 1999, 70 (Suppl. 3): 586–593.

Hafström I. et al., *A vegan diet free of gluten improves the signs and symptoms of rheumatoid arthritis: the effects on arthritis correlate with reduction in antibodies to food antigens*, Rheumatology 2001, 40 (10): 1175–1179.

Hagen K.B., Byfuglien M.G., Falzon G. et al., *Dietary interventions for rheumatoid arthritis*, Cohrane Database Syst Rev 2009, 21 (1).

Hałat Z., *Alergeny organizmów genetycznie modyfikowanych*, Alergia 2004, 3: 19–26.

Hegsted O.M., *Calcium and osteoporosis*, J Nutr 1986, 116: 2316–2319.

Ho M.W., *GM ban long overdue. Dozens ill and five deaths in the Philippines*, Science in Society 2006, 29: 26–27.

Hozyasz K., *Celiakia – wyzwanie Trzeciego Tysiąclecia*, Med Rodz 2002, 1: 46–52.

Hutyra T., Iwańczak B., *Lactose intolerance: pathophysiology, clinical symptoms, diagnosis and treatment*, Pol Merk Lek 2009, 26 (152): 148–152.

Jankowska M. et al., *Porównanie właściwości funkcjonalnych glutenu z pszenicy samopszy i pszenicy zwyczajnej*, ŻNJT 2011, 6 (79): 79–90.

Kaczmarski M., Semeniuk J., Maciorkowska E., *Zasady ustalania diet eliminacyjnych w przypadku alergii i nietolerancji pokarmowych u dzieci*, Świat Med Farm 2001, 3 (23): 50–53.

Kamer B. et al., *Alergia pokarmowa jako przyczyna zaparć u dzieci w pierwszych trzech latach życia na podstawie obserwacji własnych*, Alergologia Info 2011, 6 (2): 67–72.

Kjeldsen-Kragh J., *Rheumatoid arthritis treated with vegetarian diets*, Am J Clin Nutr 1999 Sept., 70 (Suppl. 3): 594–600.

Klimczak A., Malinowska K., Kubiak K., *Choroby nowotworowe a żywienie*, Pol Merk Lek 2009, 27 (159): 242.

Knivsberg A.M. et al., *A randomised, controlled study of dietary intervention in autistic syndromes*, Nutr Neurosci 2002, 5: 251–261.

Korzewska K., *Choroba trzewna, współczesny obraz kliniczny i diagnostyka*, Pediatr Współcz Gastroenterol Hepatol Żywienie Dziecka 2006, 8 (4): 220–221.

Kropka B., *Pokonaj alergie, żywienie zdrowego i chorego człowieka*, Wyd. Rodzina, Skoczów 2012.

Kunachowicz H. et al., *Tabele składu i wartości odżywczej żywności*, Wyd. Lekarskie PZWL, Warszawa 2005.

Lohi S. et al., *Increasing prevalence of coeliac disease over time*, Aliment Pharmacol Ther 2007, 26 (9): 1217–1225.

Madras M., Jankowska E.A., Rogucka E., *Wpływ palenia tytoniu, picia alkoholu i kawy na gęstość mineralną kośćca obwodowego zdrowych mężczyzn po 40 roku życia*, Pol Arch Med Wew 2000, 103: 187–193.

Metchnikoff E., *The prolongation of life*, GP Putnam, London 1910.

Myłek D., *Alergie*, W.A.B., Warszawa 2010.

Myśliwiec M. et al., *Increasing incidence of diabetes mellitus type 1 in children – the role of environmental factors*, Pol J Environ Stud 2007, 16 (1): 109–112.

Pelsser L.M. et al., *Effects of restricted elimination diet on the behaviour of children with attention-deficit hyperactivity disorder (INCA study): a randomized controlled trial*, Lancet 2011, 377: 494–503.

Penders J. et al., *Gut microbiota composition and development of atopic manifestations in infancy: the KOALA Birth Cohort Study*, Gut 2007, 56: 661–667.

Perez-Bravo F. et al., *Genetic predisposition and environmental factors leading to the development of insulin-dependent diabetes mellitus in Chilean children*, J Mol Med 1996, 74: 105–109.

Pitchford P., *Odżywianie dla zdrowia. Tradycje wschodnie i nowoczesna wiedza o żywieniu*, tłum. I. Zagroba, Galaktyka, Łódź 2008.

Pytrus T., Iwańczak B., *Wpływ czynników alergicznych na czas pasażu jelitowego u dzieci z czynnościowymi zaparciami*, Ped Pol 2002, 77 (11): 969–975.

Radhika G. et al., *Association of fruit and vegetable intake with cardiovascular risk factors in urban south Indians*, Br J Nutr 2008, 99 (2): 398–405.

Robbins J., *Zdrowi stulatkowie. Naukowo potwierdzone sekrety najzdrowszych i najdłużej żyjących ludzi na świecie*, tłum. I. Szuwalska, Purana, Wrocław 2006.

Rucker C., Hoffman J., *The Seventh-Day Adventist diet*, Random House, New York 1991.

Rudzki E., *Alergia pokarmowa*, PDiA 2005, 22 (2): 77–88.

Rudzki L. et al., *Od jelit do depresji – rola zaburzeń ciągłości bariery jelitowej i następcza aktywacja układu immunologicznego w zapalnej hipotezie depresji*, Neuropsychiatr Neuropsychol 2012, 7 (2).

Ryżko J., *Zaparcia stolca u dzieci z alergią pokarmową*, Pediatr Współcz Gastroenterol Hepatol Żywienie Dziecka 2003, 5 (4): 241–243.

Sandoval M., Font R., Maños M. et al., *The role of vegetable and fruit consumption and other habits on survival following the diagnosis of oral cancer: a prospective study in Spain*, Int J Oral Maxillofac Surg 2009, 38 (1): 31–39.

Sathia-Abouta J. et al., *Food groups and colon cancer risk in African-Americans and Caucasians*, Int J Cancer 2004, 109 (5): 728–736.

Segasothy M., Philips P.A., *Vegetarian diet: panacea for modern lifestyle disease?*, QJM 1999, 92 (9): 531–544.

Sellmeyer D.E. et al., *A high ratio of dietary animal to vegetable protein increased the rate of bone loss and the risk of fracture in postmenopausal woman*, Am J Clin Nutr 73 (1): 118–122.

Sepp E. et al., *Intestinal microflora of Estonian and Swedish infants*, Acta Paediatr 1997, 86: 956–961.

Servin A.L., Coconnier M.H., *Adhesion of probiotic strains to the intestinal mucosa and interaction with pathogens*, Best Pract Res Clin Gastroenterol 2003, 17 (5): 741–754.

Siewko K. et al., *Etiopatogeneza cukrzycy typu 1. Część II*, Prz Kardiodiabetol 2007, 2 (4): 259–266.

Song X. et al., *Identification of differentially expressed proteins between hybrid and parents in wheat (Triticum aestivum L.) seedling leaves*, Theor Appl Genet 2009, 118 (2): 213–225.

Ukkola A. et al., *Changes in body mass index on a gluten free diet in coeliac disease: a nationwide study*, Eur Inter Med 2012, 23 (4): 384–388.

Ulman R., *Świetlisty człowiek. Wtajemniczenie we współczesne uzdrawianie*, Atea, Warszawa 2002.

Walker A.R.P., Richardson B., Walker F., *The influence of numerous pregnancies and lactations on bone dimensions in South African Bantu and Caucasian mothers*, Clin Sci 1972, 42: 189–196.

Whitley P. et al., *The ScanBrit randomized, controlled single-blind study of a gluten- and casein-free dietary intervention for children with autism spectrum disorders*, Nutr Neurosci 2010, 13 (2): 87–100.

Zhang X.C. et al., *Greater vegetable and fruit intake is associated with low risk of breast cancer among Chinese women*, Int J Cancer 2009, 125 (1): 181–188.

Zawisza E., *Reakcje pokarmowe – niemediowane IgE*, Alergia 2010, 3: 47–48.

Spis treści